Sommaire

REGARDS SUR *LE BOURGEOIS GENTILHOMME*

LE BOURGEOIS GENTILHOMME

L'UNIVERS DE L'ŒUVRE

Portrait de Molière par Pierre Mignard, 1671.
(Musée Condé, Chantilly.)

MOLIÈRE

Texte intégral

Le Bourgeois gentilhomme

Ouvrage publié sous la direction de
Marie-Hélène PRAT

Édition présentée par
Gabriel CONESA
Agrégé de Lettres modernes - Docteur d'État

Véronique STERNBERG
Agrégée de Lettres modernes

CLASSIQUES BORDAS

HENRI IV	LOUIS XIII	MAZARIN	LOUIS XIV
1610	1643	1661	171

1606 CORNEILLE 1684

1621 LA FONTAINE 1695

1622 MOLIÈRE 1673

1639 RACINE 1699

1645 LA BRUYÈRE 1696

Œuvres de Molière

1655 *L'Étourdi*

1656 *Le Dépit amoureux*

1659 *Les Précieuses ridicules*
Le Médecin volant

1661 *Les Fâcheux* ●

1662 *L'École des femmes*

1664 *Le Mariage forcé* ●
La Princesse d'Élide ●
Le Tartuffe

1665 *Dom Juan*
L'Amour médecin ●

1666 *Le Misanthrope*
Le Médecin malgré lui

1667 *Le Sicilien ou l'Amour peintre* ●

1668 *Amphitryon*
George Dandin ●
L'Avare

1669 *Monsieur de Pourceaugnac* ●

1670 *Le Bourgeois gentilhomme* ●
Les Amants magnifiques ●

1671 *Les Fourberies de Scapin*
La Comtesse d'Escarbagnas ●

1672 *Les Femmes savantes*

1673 *Le Malade imaginaire* ●

● Les comédies-ballets

ISBN 2-04-028001-4

Lire aujourd'hui

Le Bourgeois gentilhomme

Le Bourgeois gentilhomme que Molière et Lully présentent à Chambord devant la cour, en 1670, enthousiasme le roi. La gaîté de l'intrigue comique, la beauté des intermèdes chantés et dansés, la splendeur des décors et des costumes en font un spectacle total qui suscite, encore aujourd'hui, le rire et l'émerveillement.

Cette forme nouvelle de divertissement qu'est la comédie-ballet a donné naissance à l'un des plus sympathiques illuminés du théâtre de Molière, Monsieur Jourdain : certes, son extravagance, comme celle de tous les fous de la comédie, entraîne bien des désordres et des périls pour sa famille, mais sa fantaisie est aussi source de plaisir et de fête.

Nos goûts ont changé et les intermèdes ont quasiment disparu de la scène, mais ce personnage a toujours la faveur du public, preuve que ce divertissement commandé par le roi est porteur de grandes questions qui nous font réfléchir. Si la société n'est plus la même, la folie des grandeurs, la manie de singer les autres et de vouloir paraître ce qu'on n'est pas, le snobisme restent des sujets d'actualité. À une époque où les médias ne cessent d'amplifier l'impact des modes constamment renouvelées, où la publicité nous pousse à être conformes à une certaine image, nous avons tous quelque chose de Monsieur Jourdain : plus que jamais, la comédie est le miroir des hommes.

Une éducation bourgeoise

Molière, de son vrai nom Jean-Baptiste Poquelin, naît à Paris en 1622, dans une de ces **familles bourgeoises aisées** qu'il dépeindra souvent dans ses comédies. Son père est un artisan reconnu, qui possède la charge de tapissier ordinaire du Roi. Le jeune Jean-Baptiste, comme tous les enfants de son milieu social, commence son instruction chez les jésuites, au collège de Clermont (l'actuel lycée Louis-le-Grand), avant d'entamer des études de droit, qu'il poursuit jusqu'à la licence. Mais il ne fera pas carrière dans la magistrature, et ne prendra pas non plus la suite de son père. En 1643, il cède à son frère la charge de tapissier du Roi, qui lui revenait en tant que fils aîné, et fonde avec Madeleine Béjart, actrice déjà lancée, l'***Illustre Théâtre***.

Sur les routes de province

La concurrence des deux grands théâtres de la capitale, l'Hôtel de Bourgogne et le théâtre du Marais, est trop rude pour que la troupe de Molière parvienne à s'implanter à Paris. L'*Illustre Théâtre* fait faillite, et, après avoir connu la prison pour dettes, Molière part pour la **province** avec une autre troupe, qui sillonne le Sud-Ouest puis le Languedoc et obtient la protection et l'aide financière du prince de Conti, un des plus grands personnages du royaume. La troupe part ensuite pour Lyon, puis Rouen, où elle devient troupe de Monsieur, frère du roi.

Les succès et les luttes

De retour à Paris, en 1658, Molière et ses amis obtiennent le droit de jouer devant le roi et sa cour. Peu convaincants dans leur interprétation de *Nicomède*, une tragédie de Corneille, les comédiens se montrent en revanche très brillants dans une petite **farce**, *Le Docteur amoureux*, qu'ils ont souvent jouée en province. Le roi, conquis, leur accorde le théâtre du Petit-Bourbon, où ils joueront en alternance avec les Comédiens italiens.

Après le premier succès des *Précieuses ridicules* en 1659, Molière triomphe avec *L'École des femmes*, sa première grande comédie, en cinq actes et en vers, dans laquelle il dépeint un personnage à la fois ridiculisé et tourmenté par son obsession du cocuage. Celui que ses rivaux considéraient avec mépris comme un vulgaire « farceur » est désormais un auteur à part entière, et un concurrent dangereux. La critique se déchaîne alors, attaquant la composition de l'œuvre, et les « honnêtes gens » s'offusquent de ce qu'ils croient être des allusions choquantes. Mais le public vient en foule et la pièce fait un triomphe. C'est aussi en 1662 que Molière épouse Armande, la sœur ou la fille de Madeleine Béjart, de vingt ans plus jeune que lui ; ses **ennemis** ne l'épargneront pas non plus sur le chapitre de sa vie privée.

Mais Molière se heurte à une hostilité bien plus forte encore, lorsqu'il crée *Le Tartuffe*, une comédie sombre et tendue, dans laquelle il dénonce un vice de son temps, **l'hypocrisie des faux dévots**, qui, en se faisant passer pour de saints hommes, s'introduisent dans les familles pour détourner leur bien. La pièce, présentée lors d'une fête royale en 1664, est aussitôt interdite, sous la pression du parti dévot, qui accuse Molière d'impiété et le menace des pires représailles. La lutte durera cinq ans, et ce n'est qu'en 1669 que *Le Tartuffe* pourra être présenté au public parisien. Mais entre-temps, la troupe est devenue troupe du Roi, a obtenu une pension plus importante, et Molière a écrit *Dom Juan* (1665), pièce également audacieuse, car elle met en scène un athée aussi immoral que séduisant. Les premières représentations sont triomphales, mais elles ne durent que cinq semaines : la pièce, vraisemblablement étouffée par de nouvelles pressions, ne sera jamais reprise du vivant de Molière.

La ville et la cour

Depuis 1661, année où Molière invente avec *Les Fâcheux* la **comédie-ballet**, *« pièce mêlée de musique et de danse »*, il a la faveur du roi pour agrémenter, avec le musicien Lully, tous les grands divertissements royaux. Les comédies-ballets se succèdent, avec notamment *Le Mariage forcé* et *L'Amour médecin* en 1664 et 1665, *Monsieur de Pourceaugnac* en 1669, et *Le Bourgeois gentilhomme* en 1670.

Parallèlement, il poursuit dans la voie de la comédie, avec une production aussi riche que variée : il écrit *Le Misanthrope* en 1666, une pièce plus grave, mais aussi *L'Avare* en 1668, *Les Fourberies de Scapin* en 1671, et *Les Femmes savantes* en 1672, trois pièces franchement comiques.

Le 17 février 1673, Molière, qui tient le rôle d'Argan dans *Le Malade imaginaire*, sa dernière comédie-ballet, ne pourra terminer la représentation : pris de malaises, il doit quitter la scène et s'éteint quelques heures plus tard. Comme il n'a pu abjurer son art, c'est-à-dire renoncer solennellement au théâtre, il ne sera enterré, de nuit, que grâce à l'intervention de Louis XIV.

Le Bourgeois gentilhomme, divertissement royal

Fatigué et meurtri par des années de lutte, Molière a délaissé les grandes questions de morale politique qui lui ont valu tant d'attaques. Il conçoit, dans la seconde partie de sa carrière, un certain nombre de comédies-ballets aux sujets résolument comiques, destinées à agrémenter des divertissements de cour. Il perfectionne progressivement cette esthétique dont il est l'inventeur, cherchant à l'adapter au mieux à l'atmosphère féerique des fêtes royales, et à mêler le plus étroitement possible la danse, la musique et la comédie. *Le Bourgeois gentilhomme* peut être considéré comme l'aboutissement de ces recherches, et le chef-d'œuvre du genre.

Le rêve et la réalité

1

1 Virginie Pradal (NICOLE) et Jacques Charon (MONSIEUR JOURDAIN) dans la mise en scène de Jean-Louis Barrault, la Comédie-Française aux Tuileries, 1972.

☞ p. 160 : « Le texte et ses images »
pour l'exploitation des photographies de ce dossier.

2

[2] *Bal sur la terrasse d'un palais,* peinture de Hieronymus Janssens (1624-1693). (Musée des Beaux-Arts, Lille.)

Le bourgeois et les gentilshommes

[5] Jean Le Poulain (MONSIEUR JOURDAIN) dans la mise en scène de Jean-Laurent Cochet, Comédie-Française, 1980. ▶

[6] Jérôme Savary (MONSIEUR JOURDAIN) dans la mise en scène de Jérôme Savary, théâtre national de Chaillot, 1989. ▶▶

3 

 4

3 *Louis XIV, roi de France,* peinture d'Hyacinthe Rigaud, 1701. (Musée du Louvre, Paris.)

4 Roland Bertin (MONSIEUR JOURDAIN) dans la mise en scène de Jean-Luc Boutté, Comédie-Française, 1988.

5 

 6

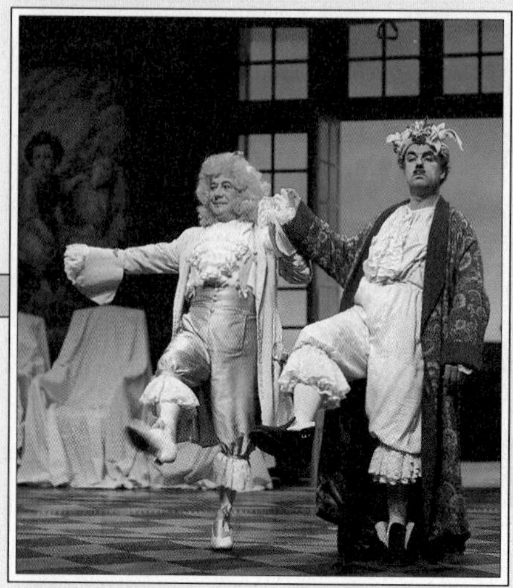

7

L'élève et ses maîtres

7 François Borysse (LE MAÎTRE À DANSER) et Jérôme Savary (MONSIEUR JOURDAIN) dans la mise en scène de Jérôme Savary, théâtre national de Chaillot, 1989.

8

8 Michel Galabru (MONSIEUR JOURDAIN) dans la mise en scène de Jérôme Savary, C.E.T. Lyon, théâtre du VIIIe, 1987.

9 Jean Le Poulain (MONSIEUR JOURDAIN) et Jacques Sereys (LE MAÎTRE DE PHILOSOPHIE) dans la mise en scène de Jean-Laurent Cochet, Comédie-Française, 1980.

10

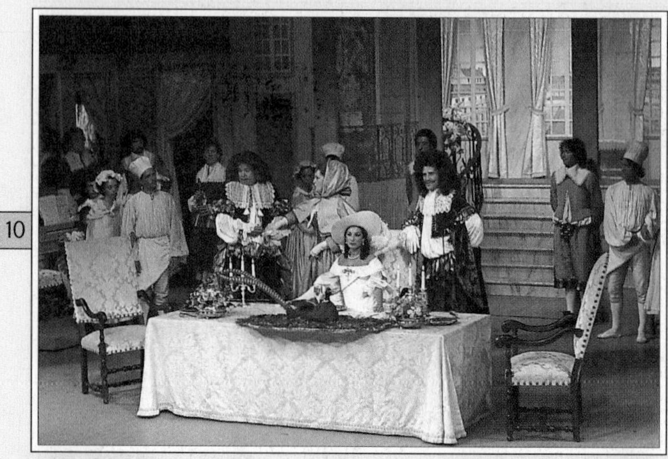

10 Jean Le Poulain (MONSIEUR JOURDAIN), Yvonne Gaudeau (MADAME JOURDAIN), Claire Vernet (DORIMÈNE), Georges Descrières (DORANTE) dans la mise en scène de Jean-Laurent Cochet, Comédie-Française, 1980.

11

11 Roland Bertin (MONSIEUR JOURDAIN) dans la mise en scène de Jean-Luc Boutté, Comédie-Française, 1988.

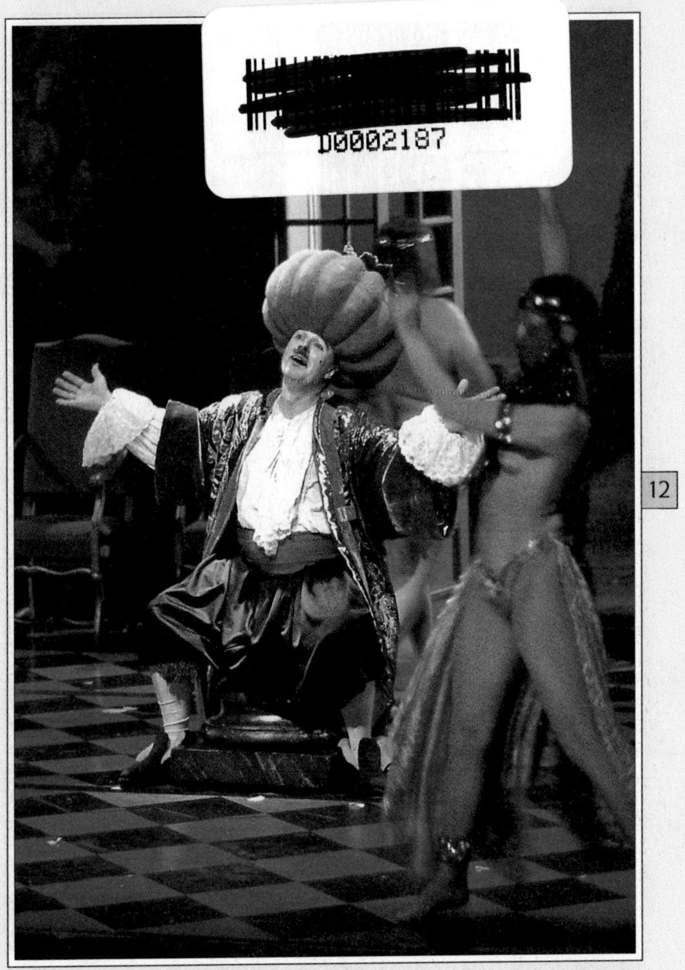

12

[12] Jérôme Savary (MONSIEUR JOURDAIN) dans la mise en scène de Jérôme Savary, théâtre national de Chaillot, 1989.

Fêtes et intermèdes

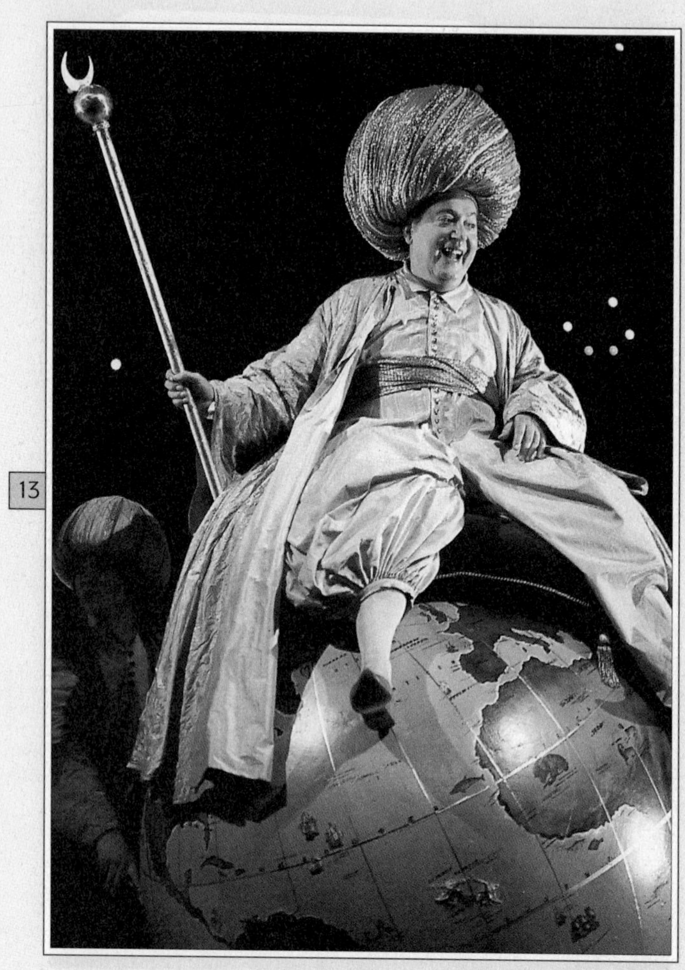

13 Roland Bertin (MONSIEUR JOURDAIN) dans la mise en scène de Jean-Luc Boutté, Comédie-Française, 1988.

L'apothéose

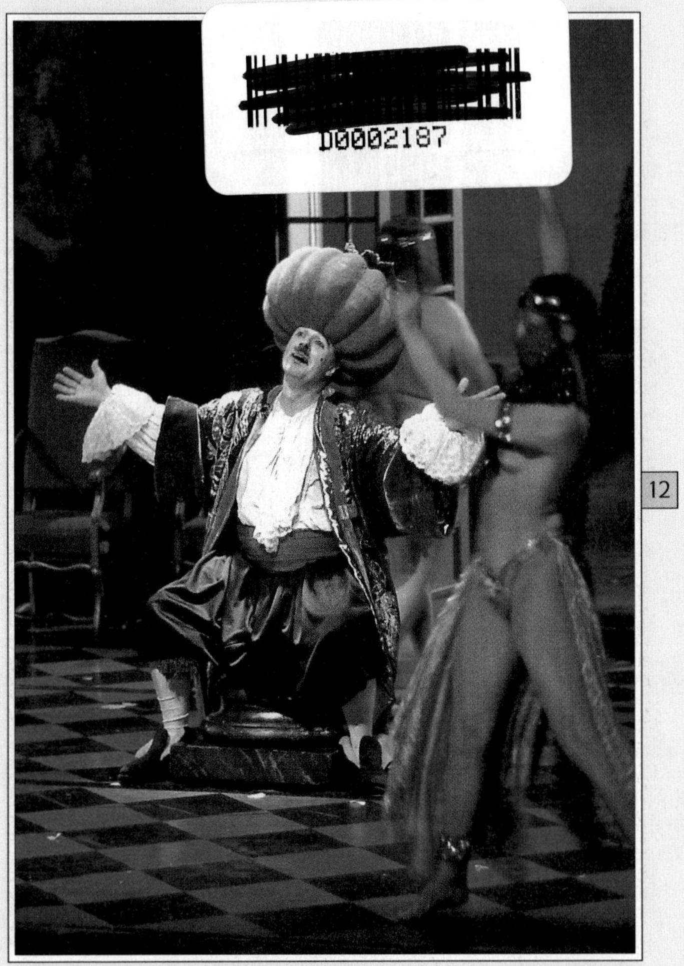

12

12 Jérôme Savary (MONSIEUR JOURDAIN) dans la mise en scène de Jérôme Savary, théâtre national de Chaillot, 1989.

Fêtes et intermèdes

13

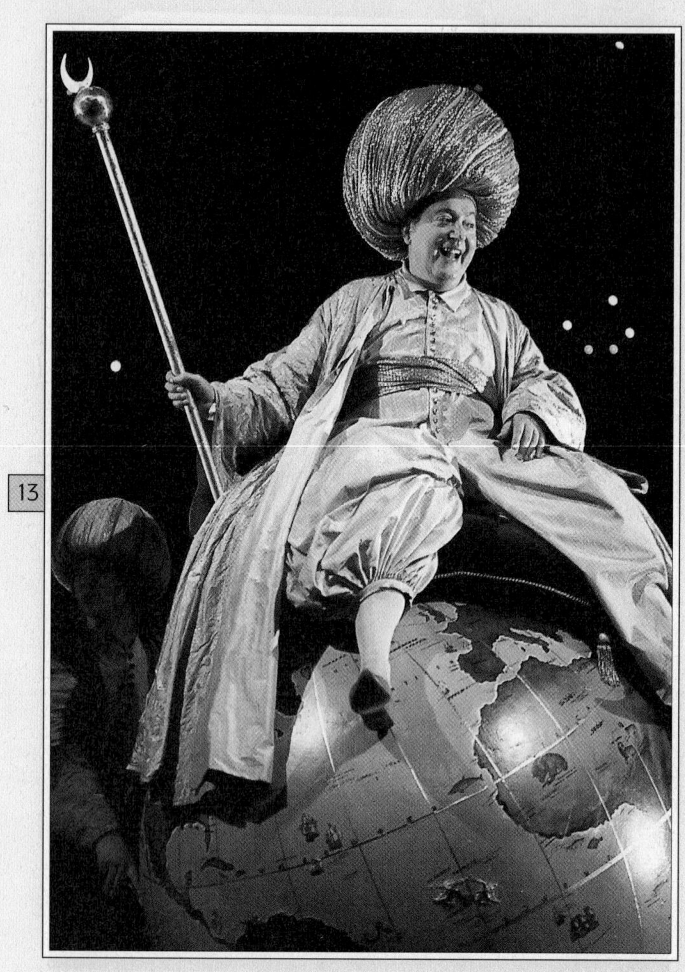

13 Roland Bertin (MONSIEUR JOURDAIN) dans la mise en scène de Jean-Luc Boutté, Comédie-Française, 1988.

L'apothéose

Le Bourgeois gentilhomme

❧

Comédie-ballet
faite à Chambord,
pour le divertissement du Roi,
au mois d'octobre 1670,
et représentée en public, à Paris,
pour la première fois sur le théâtre
du Palais-Royal, le 23 novembre
de la même année 1670,
par la Troupe du Roi

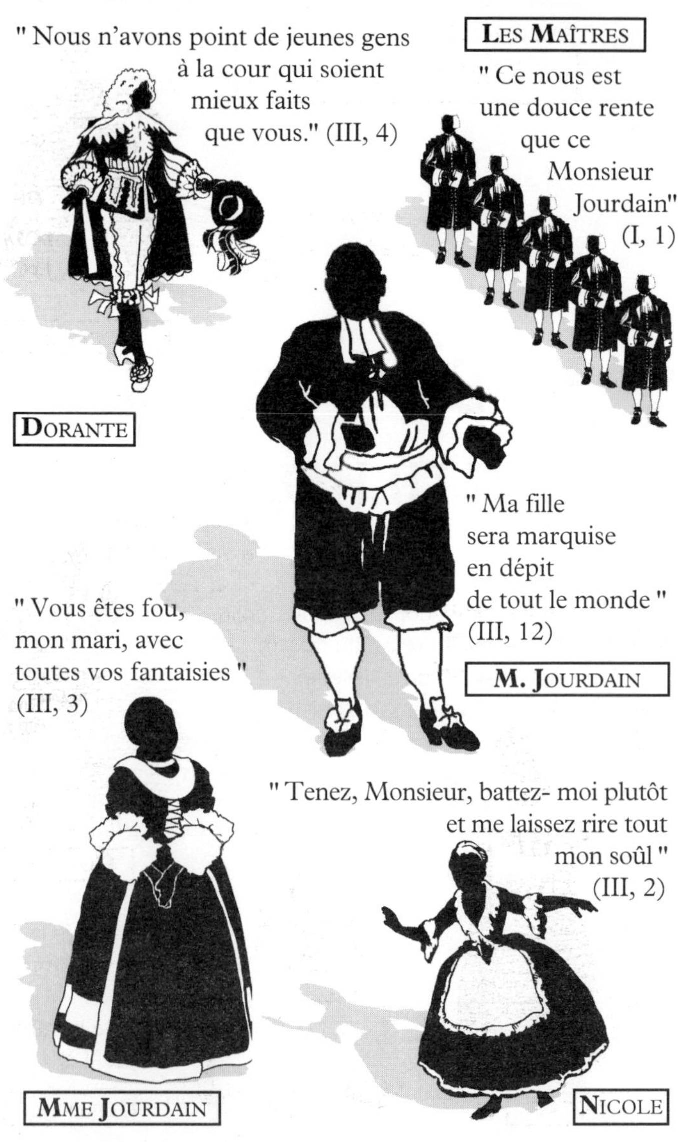
" Nous n'avons point de jeunes gens à la cour qui soient mieux faits que vous." (III, 4)
DORANTE
LES MAÎTRES
" Ce nous est une douce rente que ce Monsieur Jourdain" (I, 1)
" Ma fille sera marquise en dépit de tout le monde " (III, 12)
M. JOURDAIN
" Vous êtes fou, mon mari, avec toutes vos fantaisies " (III, 3)
" Tenez, Monsieur, battez- moi plutôt et me laissez rire tout mon soûl " (III, 2)
MME JOURDAIN
NICOLE

DISTRIBUTION

" Je me vois ici
admirablement régalée "
(IV, 1)

DORIMÈNE

" Si l'on en peut
voir un plus fou,
je l'irai dire
à Rome."
(V, 6.)

" Il n'est point de pouvoir
qui me puisse obliger
à prendre un autre mari
que Cléonte " (V, 5)

COVIELLE

" Je trouve
que toute imposture
est indigne
d'un honnête homme "
(III, 12)

LUCILE

CLÉONTE

Les personnages

MONSIEUR JOURDAIN, *bourgeois.*

MADAME JOURDAIN, *sa femme.*

LUCILE, *fille de Monsieur Jourdain.*

NICOLE, *servante.*

CLÉONTE, *amoureux de Lucile.*

COVIELLE, *valet de Cléonte.*

DORANTE, *comte, amant*[1] *de Dorimène.*

DORIMÈNE, *marquise.*

MAÎTRE DE MUSIQUE

ÉLÈVE DU MAÎTRE DE MUSIQUE

MAÎTRE À DANSER

MAÎTRE D'ARMES

MAÎTRE DE PHILOSOPHIE

MAÎTRE TAILLEUR

GARÇON TAILLEUR

DEUX LAQUAIS

Plusieurs musiciens, musiciennes, joueurs d'instruments, danseurs, cuisiniers, garçons tailleurs, et autres personnages des intermèdes et du ballet.

La scène est à Paris.

1 *Amant* : amoureux, qui aime.

Acte I

L'ouverture[1] *se fait par un grand assemblage d'instruments ; et dans le milieu du théâtre on voit un élève du Maître de musique, qui compose sur une table un air que le Bourgeois a demandé pour une sérénade*[2].

Scène 1 : Maître de musique, Maître à danser, trois musiciens, deux violons, quatre danseurs

Maître de musique, *parlant à ses musiciens.* Venez, entrez dans cette salle, et vous reposez là, en attendant qu'il vienne.

Maître à danser, *parlant aux danseurs.* Et vous aussi, de ce côté.

Maître de musique, *à l'élève.* Est-ce fait ?

L'élève. Oui.

Maître de musique. Voyons... Voilà qui est bien.

Maître à danser. Est-ce quelque chose de nouveau ?

Maître de musique. Oui, c'est un air pour une sérénade, que je lui[3] ai fait composer ici, en attendant que notre homme fût éveillé.

Maître à danser. Peut-on voir ce que c'est ?

Maître de musique. Vous l'allez entendre, avec le dialogue[4], quand il viendra. Il ne tardera guère.

1 *Ouverture* : morceau qui précède un opéra, et qui est destiné à plonger le public dans l'atmosphère de l'œuvre qui va suivre.

2 *Sérénade* : concert donné la nuit sous les fenêtres de quelqu'un qu'on veut honorer.

3 *Lui* désigne l'élève qui compose la sérénade.

4 *Dialogue* : œuvre musicale composée pour deux ou plusieurs voix qui se répondent.

MAÎTRE À DANSER. Nos occupations, à vous, et à moi, ne sont pas petites maintenant.

MAÎTRE DE MUSIQUE. Il est vrai. Nous avons trouvé ici un homme comme il nous le faut à tous deux ; ce nous est une douce rente[1] que ce Monsieur Jourdain, avec les visions[2] de noblesse et de galanterie[3] qu'il est allé se mettre en tête ; et votre danse et ma musique auraient à souhaiter que tout le monde lui ressemblât.

MAÎTRE À DANSER. Non pas entièrement ; et je voudrais pour lui qu'il se connût mieux qu'il ne fait aux choses que nous lui donnons.

MAÎTRE DE MUSIQUE. Il est vrai qu'il les connaît mal, mais il les paye bien ; et c'est de quoi maintenant nos arts ont plus besoin que de toute autre chose.

MAÎTRE À DANSER. Pour moi, je vous l'avoue, je me repais[4] un peu de gloire ; les applaudissements me touchent ; et je tiens que, dans tous les beaux-arts, c'est un supplice assez fâcheux que de se produire à des sots, que d'essuyer[5] sur des compositions la barbarie d'un stupide. Il y a plaisir, ne m'en parlez point, à travailler pour des personnes qui soient capables de sentir les délicatesses d'un art, qui sachent faire un doux accueil aux beautés d'un ouvrage, et par de chatouillantes approbations vous régaler[6] de votre travail. Oui, la récompense la plus agréable qu'on puisse recevoir des choses que l'on fait, c'est de les voir connues, de les voir caressées[7] d'un applaudissement qui vous honore. Il n'y a rien, à mon avis, qui nous paye mieux que cela de toutes nos fatigues ; et ce sont des douceurs exquises que des louanges éclairées[8].

1 *Rente* : revenu régulier.
2 *Visions* : idées folles.
3 *Galanterie* : tout ce qui fait l'agrément de la vie en société et permet de plaire, l'élégance, l'esprit et la politesse.
4 *Je me repais* : je me nourris.
5 *Essuyer* : endurer, supporter.
6 *Régaler* : récompenser.
7 *Caressées* : flattées.
8 *Louanges éclairées* : compliments faits par quelqu'un qui s'y connaît.

MAÎTRE DE MUSIQUE. J'en demeure d'accord, et je les goûte comme vous. Il n'y a rien assurément qui chatouille davantage que les applaudissements que vous dites. Mais cet encens[1] ne fait pas vivre ; des louanges toutes pures ne mettent point un homme à son aise ; il y faut mêler du solide ; et la meilleure façon de louer, c'est de louer avec les mains[2]. C'est un homme, à la vérité, dont les lumières sont petites, qui parle à tort et à travers de toutes choses, et n'applaudit qu'à contre-sens ; mais son argent redresse les jugements de son esprit ; il a du discernement dans sa bourse ; ses louanges sont monnayées ; et ce bourgeois ignorant nous vaut mieux, comme vous voyez, que le grand seigneur éclairé qui nous a introduits ici.

MAÎTRE À DANSER. Il y a quelque chose de vrai dans ce que vous dites ; mais je trouve que vous appuyez un peu trop sur l'argent ; et l'intérêt est quelque chose de si bas, qu'il ne faut jamais qu'un honnête homme[3] montre pour lui de l'attachement.

MAÎTRE DE MUSIQUE. Vous recevez fort bien pourtant l'argent que notre homme vous donne.

MAÎTRE À DANSER. Assurément ; mais je n'en fais pas tout mon bonheur, et je voudrais qu'avec son bien, il eût encore quelque bon goût des choses.

MAÎTRE DE MUSIQUE. Je le voudrais aussi, et c'est à quoi nous travaillons tous deux autant que nous pouvons. Mais, en tout cas, il nous donne moyen de nous faire connaître dans le monde ; et il payera pour les autres ce que les autres loueront pour lui.

MAÎTRE À DANSER. Le voilà qui vient.

1 *Encens* : flatterie.
2 Le maître de musique fait allusion aux mains qui donnent de l'argent, et non à celles qui applaudissent.
3 *Honnête homme* : homme du monde raffiné, aux manières et à la conversation distinguées.

SITUER

Le rideau s'ouvre sur des personnages qui s'affairent dans l'appartement, sans doute luxueusement décoré, d'un riche bourgeois ; le maître de musique et le maître à danser y donnent des instructions, visiblement pour préparer une fête ou une cérémonie.

OBSERVER

Vocabulaire : ***La discussion des maîtres***

1. Relevez les expressions qui, dans la discussion, appartiennent aux champs lexicaux (☞ p. 190) de la gloire et du profit.

2. Relevez les mots et expressions qui font référence au héros (☞ p. 190), sans qu'il soit nommé. Pourquoi Molière procède-t-il de cette façon ?

3. Quelles sont les allusions qui permettent de penser que le personnage dont parlent les maîtres est riche ? À quelle classe sociale appartient-il ?

APPROFONDIR

Caractères : ***Des personnages secondaires bien individualisés***

4. Quel est le sujet précis de la conversation ? Sur quel point les maîtres ne sont-ils pas d'accord ?

5. En quoi leur caractère diffère-t-il ? Quel est le plus antipathique et pourquoi ? Quelle opinion ont-ils du bourgeois qui les emploie ?

6. Montrez que leur conversation révèle progressivement au spectateur le caractère du héros.

Tons : ***La bonne société***

7. Le ton de la conversation est fort courtois, malgré la différence de conception qu'ont les maîtres de leur activité : étudiez, à cet égard, comment chacun enchaîne sa réponse à ce qui vient d'être dit (l. 16 à 65).

L'art du théâtre : ***L'exposition***

8. Par quels moyens Molière suscite-t-il la curiosité du spectateur ?

ÉCRIRE

9. Le maître de musique écrit à un ami et il brosse, en une dizaine de lignes, le portrait de M. Jourdain. Respectez les traits de caractère du bourgeois ainsi que le ton du maître de musique.

Scène 2 : MONSIEUR JOURDAIN, DEUX LAQUAIS, MAÎTRE DE MUSIQUE, MAÎTRE À DANSER, VIOLONS, MUSICIENS ET DANSEURS

MONSIEUR JOURDAIN. Hé bien, Messieurs ? qu'est-ce ? me ferez-vous voir votre petite drôlerie ?

MAÎTRE À DANSER. Comment ? quelle petite drôlerie ?

MONSIEUR JOURDAIN. Eh la... comment appelez-vous cela ? Votre prologue ou dialogue de chansons et de danse.

MAÎTRE À DANSER. Ah ! ah !

MAÎTRE DE MUSIQUE. Vous nous y voyez préparés.

MONSIEUR JOURDAIN. Je vous ai fait un peu attendre, mais c'est que je me fais habiller aujourd'hui comme les gens de qualité[1] ; et mon tailleur m'a envoyé des bas de soie[2] que j'ai pensé ne mettre jamais.

MAÎTRE DE MUSIQUE. Nous ne sommes ici que pour attendre votre loisir[3].

MONSIEUR JOURDAIN. Je vous prie tous deux de ne vous point en aller, qu'on[4] ne m'ait apporté mon habit, afin que vous me puissiez voir.

MAÎTRE À DANSER. Tout ce qu'il vous plaira.

MONSIEUR JOURDAIN. Vous me verrez équipé comme il faut, depuis les pieds jusqu'à la tête.

MAÎTRE DE MUSIQUE. Nous n'en doutons point.

MONSIEUR JOURDAIN. Je me suis fait faire cette indienne-ci[5].

MAÎTRE À DANSER. Elle est fort belle.

1 *Les gens de qualité* : les nobles de naissance. Ceux-ci portaient des vêtements aux étoffes rares et chères, au contraire des bourgeois et des paysans. ☞ p. 180.

2 La soie est fort chère au XVIIe s., et un bourgeois n'en porte généralement pas.

3 *Attendre votre loisir* : attendre que vous soyez disponible.

4 *Qu'on* : avant qu'on.

5 *Cette indienne-ci* : une robe de chambre faite d'étoffes indiennes précieuses, c'est-à-dire de toiles peintes venues de l'Inde.

MONSIEUR JOURDAIN. Mon tailleur m'a dit que les gens de qualité étaient comme cela le matin.

MAÎTRE DE MUSIQUE. Cela vous sied à merveille.

MONSIEUR JOURDAIN. Laquais ! holà, mes deux laquais !

PREMIER LAQUAIS. Que voulez-vous, Monsieur ?

MONSIEUR JOURDAIN. Rien. C'est pour voir si vous m'entendez bien. *(Aux deux maîtres.)* Que dites-vous de mes livrées[1] ?

MAÎTRE À DANSER. Elles sont magnifiques.

MONSIEUR JOURDAIN. *Il entr'ouvre sa robe, et fait voir un haut-de-chausses étroit de velours rouge, et une camisole de velours vert[2], dont il est vêtu.* Voici encore un petit déshabillé pour faire le matin mes exercices.

MAÎTRE DE MUSIQUE. Il est galant[3].

MONSIEUR JOURDAIN. Laquais !

PREMIER LAQUAIS. Monsieur.

MONSIEUR JOURDAIN. L'autre laquais !

SECOND LAQUAIS. Monsieur.

MONSIEUR JOURDAIN. Tenez ma robe. Me trouvez-vous bien comme cela[4] ?

MAÎTRE À DANSER. Fort bien. On ne peut pas mieux.

MONSIEUR JOURDAIN. Voyons un peu votre affaire.

MAÎTRE DE MUSIQUE. Je voudrais bien auparavant vous faire entendre un air qu'il vient de composer pour la sérénade que vous m'avez demandée. C'est un de mes écoliers[5], qui a pour ces sortes de choses un talent admirable.

---

1 *Livrées* : uniformes des valets.

2 *Haut-de-chausses* : pantalon descendant jusqu'aux genoux. – *Camisole* : chemisette, petit vêtement qui va jusqu'à la ceinture et qu'on porte « pendant le jour entre la chemise et le pourpoint (veste) pour avoir plus chaud ». (Dict. de Furetière, 1690.)

3 *Galant* : distingué.

4 La deuxième phrase est adressée au maître de musique et au maître à danser.

5 Pour le maître de musique, un *écolier* est un élève très avancé ; mais, dans l'esprit de M. Jourdain, c'est un enfant qui va à l'école.

MONSIEUR JOURDAIN. Oui ; mais il ne fallait pas faire faire cela par un écolier ; et vous n'étiez pas trop bon vous-même pour cette besogne-là.

MAÎTRE DE MUSIQUE. Il ne faut pas, Monsieur, que le nom d'écolier vous abuse. Ces sortes d'écoliers en savent autant que les plus grands maîtres, et l'air est aussi beau qu'il s'en puisse faire. Écoutez seulement.

MONSIEUR JOURDAIN. Donnez-moi ma robe pour mieux entendre... Attendez, je crois que je serai mieux sans robe... Non ; redonnez-la-moi, cela ira mieux.

MUSICIEN, *chantant.*

Je languis nuit et jour, et mon mal est extrême,
Depuis qu'à vos rigueurs vos beaux yeux m'ont soumis ;
Si vous traitez ainsi, belle Iris, qui vous aime,
Hélas ! que pourriez-vous faire à vos ennemis ?

MONSIEUR JOURDAIN. Cette chanson me semble un peu lugubre, elle endort ; et je voudrais que vous la pussiez un peu ragaillardir par-ci, par-là.

MAÎTRE DE MUSIQUE. Il faut, Monsieur, que l'air soit accommodé aux paroles.

MONSIEUR JOURDAIN. On m'en apprit un tout à fait joli, il y a quelque temps. Attendez... Là... comment est-ce qu'il dit ?

MAÎTRE À DANSER. Par ma foi ! je ne sais.

MONSIEUR JOURDAIN. Il y a du mouton dedans.

MAÎTRE À DANSER. Du mouton ?

MONSIEUR JOURDAIN. Oui. Ah ! *Monsieur Jourdain chante.*

Je croyais Janneton
Aussi douce que belle,
Je croyais Janneton
Plus douce qu'un mouton :
Hélas ! hélas ! elle est cent fois,
Mille fois plus cruelle,
Que n'est le tigre aux bois.

N'est-il[1] pas joli ?

1 *N'est-il pas joli ?* : n'est-ce pas joli ? *Il* est neutre ici.

MAÎTRE DE MUSIQUE. Le plus joli du monde.

MAÎTRE À DANSER. Et vous le chantez bien.

MONSIEUR JOURDAIN. C'est sans avoir appris la musique.

MAÎTRE DE MUSIQUE. Vous devriez l'apprendre, Monsieur, comme vous faites la danse. Ce sont deux arts qui ont une étroite liaison ensemble.

MAÎTRE À DANSER. Et qui ouvrent l'esprit d'un homme aux belles choses.

MONSIEUR JOURDAIN. Est-ce que les gens de qualité apprennent aussi la musique ?

MAÎTRE DE MUSIQUE. Oui, Monsieur.

MONSIEUR JOURDAIN. Je l'apprendrai donc. Mais je ne sais quel temps je pourrai prendre ; car, outre le Maître d'armes qui me montre[1], j'ai arrêté[2] encore un Maître de philosophie, qui doit commencer ce matin.

MAÎTRE DE MUSIQUE. La philosophie est quelque chose ; mais la musique, Monsieur, la musique...

MAÎTRE À DANSER. La musique et la danse... La musique et la danse, c'est là tout ce qu'il faut.

MAÎTRE DE MUSIQUE. Il n'y a rien qui soit si utile dans un État que la musique.

MAÎTRE À DANSER. Il n'y a rien qui soit si nécessaire aux hommes que la danse.

MAÎTRE DE MUSIQUE. Sans la musique, un État ne peut subsister.

MAÎTRE À DANSER. Sans la danse, un homme ne saurait rien faire.

MAÎTRE DE MUSIQUE. Tous les désordres, toutes les guerres qu'on voit dans le monde, n'arrivent que pour n'apprendre pas[3] la musique.

1 *Qui me montre* : qui m'instruit.
2 *Arrêter* : engager. *Arrêter* se dit « d'un domestique qu'on retient à son service. *Arrêter un laquais, une servante* ». (Dict. de l'Académie, 1694.)
3 *Pour n'apprendre pas* : parce qu'on n'apprend pas.

MAÎTRE À DANSER. Tous les malheurs des hommes, tous les revers funestes[1] dont les histoires sont remplies, les bévues[2] des politiques, et les manquements[3] des grands capitaines, tout cela n'est venu que faute de savoir danser.

MONSIEUR JOURDAIN. Comment cela ?

MAÎTRE DE MUSIQUE. La guerre ne vient-elle pas d'un manque d'union entre les hommes ?

MONSIEUR JOURDAIN. Cela est vrai.

MAÎTRE DE MUSIQUE. Et si tous les hommes apprenaient la musique, ne serait-ce pas le moyen de s'accorder ensemble, et de voir dans le monde la paix universelle ?

MONSIEUR JOURDAIN. Vous avez raison.

MAÎTRE À DANSER. Lorsqu'un homme a commis un manquement dans sa conduite, soit aux affaires de sa famille, ou au gouvernement d'un État, ou au commandement d'une armée, ne dit-on pas toujours : « Un tel a fait un mauvais pas dans une telle affaire » ?

MONSIEUR JOURDAIN. Oui, on dit cela.

MAÎTRE À DANSER. Et faire un mauvais pas peut-il procéder d'autre chose que de ne savoir pas danser ?

MONSIEUR JOURDAIN. Cela est vrai, vous avez raison tous deux.

MAÎTRE À DANSER. C'est pour vous faire voir l'excellence et l'utilité de la danse et de la musique.

MONSIEUR JOURDAIN. Je comprends cela à cette heure.

MAÎTRE DE MUSIQUE. Voulez-vous voir nos deux affaires ?

MONSIEUR JOURDAIN. Oui.

MAÎTRE DE MUSIQUE. Je vous l'ai déjà dit, c'est un petit essai que j'ai fait autrefois des diverses passions que peut exprimer la musique.

1 *Revers funestes* : coups du sort qui entraînent le malheur.
2 *Bévues* : erreurs.
3 *Manquements* : fautes.

Michel Etcheverry (LE MAÎTRE DE MUSIQUE), Roland Bertin (MONSIEUR JOURDAIN), Yves Gasc (LE MAÎTRE À DANSER) dans la mise en scène de Jean-Luc Boutté, Comédie-Française, 1986.

MONSIEUR JOURDAIN. Fort bien.

MAÎTRE DE MUSIQUE. Allons, avancez[1]. Il faut vous figurer qu'ils sont habillés en bergers.

MONSIEUR JOURDAIN. Pourquoi toujours des bergers[2] ? On ne voit que cela partout.

MAÎTRE À DANSER. Lorsqu'on a des personnes à faire parler en musique, il faut bien que, pour la vraisemblance, on donne dans la bergerie. Le chant a été de tout temps affecté aux bergers ; et il n'est guère naturel en dialogue que des princes ou des bourgeois chantent leurs passions.

MONSIEUR JOURDAIN. Passe, passe[3]. Voyons.

DIALOGUE EN MUSIQUE

UNE MUSICIENNE ET DEUX MUSICIENS

Un cœur, dans l'amoureux empire[4],
De mille soins[5] *est toujours agité :*
On dit qu'avec plaisir on languit, on soupire ;
Mais, quoi qu'on puisse dire,
Il n'est rien de si doux que notre liberté.

PREMIER MUSICIEN

Il n'est rien de si doux que les tendres ardeurs
Qui font vivre deux cœurs
Dans une même envie.
On ne peut être heureux sans amoureux désirs :
Ôtez l'amour de la vie,
Vous en ôtez les plaisirs.

1 La première phrase est adressée aux musiciens, la seconde à M. Jourdain.
2 M. Jourdain réagit contre une mode déjà ancienne de la pastorale, qui ne met en scène que des bergers.
3 *Passe, passe* : soit, soit.
4 *Dans l'amoureux empire* : amoureux.
5 *Soins* : soucis.

SECOND MUSICIEN

Il serait doux d'entrer sous l'amoureuse loi,
Si l'on trouvait en amour de la foi[1] *;*
Mais, hélas ! ô rigueur cruelle !
On ne voit point de bergère fidèle,
Et ce sexe inconstant, trop indigne du jour,
Doit faire pour jamais renoncer à l'amour.

PREMIER MUSICIEN

Aimable ardeur,

MUSICIENNE

Franchise[2] *heureuse,*

SECOND MUSICIEN

Sexe trompeur,

PREMIER MUSICIEN

Que tu m'es précieuse !

MUSICIENNE

Que tu plais à mon cœur !

SECOND MUSICIEN

Que tu me fais d'horreur !

PREMIER MUSICIEN

Ah ! quitte pour aimer cette haine mortelle.

MUSICIENNE

On peut, on peut te montrer
Une bergère fidèle.

SECOND MUSICIEN

Hélas ! où la rencontrer ?

MUSICIENNE

Pour défendre notre gloire,
Je te veux offrir mon cœur.

1 *Foi* : fidélité.
2 *Franchise* : liberté.

SECOND MUSICIEN

Mais, bergère, puis-je croire
Qu'il ne sera point trompeur ?

MUSICIENNE

Voyons par expérience
Qui des deux aimera mieux.

SECOND MUSICIEN

Qui manquera de constance,
Le puissent perdre les Dieux[1] *!*

TOUS TROIS

À des ardeurs si belles
Laissons-nous enflammer :
Ah ! qu'il est doux d'aimer,
Quand deux cœurs sont fidèles !

MONSIEUR JOURDAIN. Est-ce tout ?

MAÎTRE DE MUSIQUE. Oui.

MONSIEUR JOURDAIN. Je trouve cela bien troussé, et il y a là-dedans de petits dictons[2] assez jolis.

MAÎTRE À DANSER. Voici, pour mon affaire, un petit essai des plus beaux mouvements et des plus belles attitudes dont une danse puisse être variée.

MONSIEUR JOURDAIN. Sont-ce encore des bergers ?

MAÎTRE À DANSER. C'est ce qu'il vous plaira. Allons.

Quatre danseurs exécutent tous les mouvements différents et toutes les sortes de pas que le Maître à danser leur commande, et cette danse fait le premier intermède.

1 *Qui manquera... Dieux* : que les Dieux punissent celui qui manquera de fidélité.

2 *Un dicton* est « soit un proverbe, soit le mot d'un emblème, soit un mot piquant ». (Dict. de Furetière, 1690.) Mais M. Jourdain ne s'exprime pas très correctement (cf. plus loin : *se trémoussent*).

SITUER

M. Jourdain, dont viennent de parler les maîtres, entre en scène, et le public voit son impatience satisfaite.

OBSERVER

Vocabulaire : *Les fautes de goût*

1. Que pensez-vous du jugement de M. Jourdain qui parle de « *petite drôlerie* » à propos du ballet, et qui pense que le dialogue en musique est « *bien troussé* » ?

Style : *Leitmotiv et hyperboles* (☞ p. 190)

2. M. Jourdain pose au maître de musique une question révélatrice de son obsession, qu'il répétera sous différentes formes par la suite : laquelle ?

3. En présence de M. Jourdain, le langage des maîtres se fait plus flatteur ; relevez les louanges et flatteries excessives (hyperboles) qu'ils lui adressent.

APPROFONDIR

Caractères : *Un bourgeois grossier*

4. M. Jourdain correspond-il au portrait qu'en ont tracé les maîtres ? Justifiez votre réponse. Que pensent les maîtres et le public de ses goûts musicaux ?

5. Comment qualifier son attitude à l'égard des maîtres ?

6. À quel moment découvre-t-on qu'il est ignorant ? À quelles réactions voit-on qu'il est également vaniteux ?

Stratégies : *L'art de la flatterie*

7. Le propos séducteur des maîtres ne contient-il pas des arguments trompeurs ? Lesquels et pourquoi ?

8. Pour quelle raison prennent-ils la parole à tour de rôle, pour prononcer à peu près le même nombre de répliques ? (l. 97-130). Quel effet la reprise des arguments du maître de musique par le maître à danser peut-elle produire sur le spectateur ?

Genres : *La comédie-ballet*

9. La comédie-ballet (☞ p. 172) est un genre qui fond, dans le spectacle de la comédie proprement dite, des intermèdes de musique et de danse. Comment ceux-ci sont-ils reliés à la scène ?

10. Citez les répliques porteuses d'un effet comique et dites s'il s'agit d'un comique de mots ou de caractère.

Mise en scène : *Tout a un sens*

11. Pourquoi le metteur en scène J.-L. Boutté (photo p. 30) a-t-il placé les maîtres de part et d'autre et à égale distance de M. Jourdain ?

12. Qu'exprime, selon vous, la mimique de Michel Etcheverry sur la photographie ?

ÉCRIRE

13. Un professeur de peinture, désirant être employé par M. Jourdain, vante à son tour les mérites de son art. Imaginez le dialogue entre eux.

Caractères

1. M. Jourdain apparaît comme un homme obsédé par une idée fixe, comme tous les héros de Molière : quelle est-elle ?

2. Pour quelles raisons précises est-il ridicule ?

3. En dépit de son enthousiasme et de sa bonne volonté, le héros vous paraît-il devoir faire des progrès ? Justifiez votre réponse.

4. Quelle sorte de gens sa lubie attire-t-elle autour de lui ?

5. À quels moments précis voit-on que les maîtres de M. Jourdain sont intéressés et qu'ils exploitent sa lubie ?

L'art du théâtre

6. L'action de la pièce n'est pas encore engagée à la fin du premier acte, et l'on ne sait encore rien de la famille du héros. Pourtant, le spectateur ne s'ennuie pas un instant. En quoi, selon vous, l'organisation des scènes et les entrées de personnages contribuent-elles à créer le rythme du spectacle ?

7. D'où vient cette atmosphère de fête dans la maison bourgeoise de M. Jourdain ?

8. Les intermèdes chantés et dansés vous paraissent-ils amenés de manière vraisemblable dans la situation que nous découvrons ? Justifiez votre réponse.

Acte II

Scène 1 : Monsieur Jourdain, Maître de musique, Maître à danser, Laquais

Monsieur Jourdain. Voilà qui n'est point sot, et ces gens-là se trémoussent[1] bien.

Maître de musique. Lorsque la danse sera mêlée avec la musique, cela fera plus d'effet encore, et vous verrez quelque chose de galant[2] dans le petit ballet que nous avons ajusté pour vous.

Monsieur Jourdain. C'est pour tantôt au moins[3] ; et la personne pour qui j'ai fait faire tout cela, me doit faire l'honneur de venir dîner céans[4].

Maître à danser. Tout est prêt.

Maître de musique. Au reste, Monsieur, ce n'est pas assez : il faut qu'une personne comme vous, qui êtes magnifique[5], et qui avez de l'inclination[6] pour les belles choses, ait un concert de musique chez soi tous les mercredis ou tous les jeudis.

Monsieur Jourdain. Est-ce que les gens de qualité[7] en ont ?

Maître de musique. Oui, Monsieur.

1 *Se trémoussent* : s'agitent de façon vive et irrégulière.
2 *Galant* : « qui a l'air de la cour [...], qui tâche à plaire, et particulièrement au beau sexe ». (Dict. de Furetière, 1690.)
3 *Pour tantôt au moins* : pour tout à l'heure sans faute.
4 *Dîner céans* : déjeuner à la maison. Au XVIIe s., le *dîner* est le repas de midi, et le *souper*, celui du soir.
5 *Magnifique* : qui vit dans le luxe et dépense sans compter. ☞ p. 189.
6 *De l'inclination* : du goût.
7 *Les gens de qualité* : les nobles de naissance. ☞ p. 189.

MONSIEUR JOURDAIN. J'en aurai donc. Cela sera-t-il beau ?

MAÎTRE DE MUSIQUE. Sans doute. Il vous faudra trois voix : un dessus[1], une haute-contre[2], et une basse, qui seront accompagnées d'une basse de viole[3], d'un théorbe[4], et d'un clavecin pour les basses continues, avec deux dessus de violon pour jouer les ritornelles[5].

MONSIEUR JOURDAIN. Il y faudra mettre aussi une trompette marine[6]. La trompette marine est un instrument qui me plaît, et qui est harmonieux.

MAÎTRE DE MUSIQUE. Laissez-nous gouverner les choses.

MONSIEUR JOURDAIN. Au moins n'oubliez pas tantôt de m'envoyer des musiciens, pour chanter à table.

MAÎTRE DE MUSIQUE. Vous aurez tout ce qu'il vous faut.

MONSIEUR JOURDAIN. Mais surtout, que le ballet soit beau.

MAÎTRE DE MUSIQUE. Vous en serez content, et, entre autres choses, de certains menuets que vous y verrez.

MONSIEUR JOURDAIN. Ah ! les menuets[7] sont ma danse, et je veux que vous me les voyiez danser. Allons, mon maître.

MAÎTRE À DANSER. Un chapeau, Monsieur, s'il vous plaît. La, la, la ; la, la, la, la, la, la ; la, la, la, *bis* ; la, la, la ; la, la. En cadence, s'il vous plaît. La, la, la, la. La jambe droite. La, la, la. Ne remuez point tant les épaules. La, la, la, la, la ; la, la, la, la, la.

1 *Un dessus* : un ténor.
2 *Une haute-contre* : voix d'homme aiguë.
3 *Une basse de viole (*ou *viole de gambe)* : ancêtre du violoncelle.
4 *Théorbe* : espèce de grand luth (instrument de la famille de la guitare) qui a la particularité d'avoir deux manches.
5 *Ritornelle* : « reprise qu'on fait des premiers vers d'une chanson ». (Dict. de Furetière, 1690.)
6 La *trompette marine* est un instrument à une seule corde fort grave et fort longue, fixée sur une caisse triangulaire et émettant une sorte de ronflement qui faisait penser à celui des conques des dieux marins ; les mendiants jouaient de cet instrument sommaire dans les rues.
7 Le *menuet* est une danse « dont les pas sont prompts et menus » (dict. de Furetière, 1690), ce qui explique le pluriel employé par M. Jourdain. Il faut un chapeau pour faire les révérences.

Vos deux bras sont estropiés. La, la, la, la, la. Haussez la tête. Tournez la pointe du pied en dehors. La, la, la. Dressez votre corps.

MONSIEUR JOURDAIN. Euh ?

MAÎTRE DE MUSIQUE. Voilà qui est le mieux du monde.

MONSIEUR JOURDAIN. À propos. Apprenez-moi comme il faut faire une révérence pour saluer une marquise : j'en aurai besoin tantôt.

MAÎTRE À DANSER. Une révérence pour saluer une marquise ?

MONSIEUR JOURDAIN. Oui : une marquise qui s'appelle Dorimène.

MAÎTRE À DANSER. Donnez-moi la main.

MONSIEUR JOURDAIN. Non. Vous n'avez qu'à faire : je le retiendrai bien.

MAÎTRE À DANSER. Si vous voulez la saluer avec beaucoup de respect, il faut faire d'abord une révérence en arrière, puis marcher vers elle avec trois révérences en avant, et à la dernière vous baisser jusqu'à ses genoux.

MONSIEUR JOURDAIN. Faites un peu. Bon.

PREMIER LAQUAIS. Monsieur, voilà votre maître d'armes qui est là.

MONSIEUR JOURDAIN. Dis-lui qu'il entre ici pour me donner leçon. Je veux que vous me voyiez faire[1].

1 La seconde phrase est adressée au maître de musique et au maître à danser.

SITUER

L'entracte ne marque ici aucune interruption, car le spectateur retrouve les mêmes personnages et la même situation qu'à la fin de l'acte I, comme le montre la première réplique de M. Jourdain.

OBSERVER

Style : ***La répétition et l'idée fixe***

1. M. Jourdain pose à nouveau au maître de musique une question qui trahit son obsession profonde : laquelle ? Quel effet provoque-t-elle sur le public ?

L'art du théâtre : ***Un projet secret***

2. Par quels détails se traduit la tension inquiète de M. Jourdain ?

3. Où fait-il une allusion mystérieuse à un personnage encore absent ? Savez-vous déjà de qui il peut s'agir ?

APPROFONDIR

Caractères : ***Le bourgeois et sa cour***

4. Dans sa volonté naïve de faire oublier qu'il n'est qu'un bourgeois, M. Jourdain « en fait trop » ; à quel moment cela est-il sensible ?

5. Le héros n'est-il pas quelque peu maladroit dans sa façon d'exercer l'autorité ? Citez les répliques qui permettent de le penser.

6. M. Jourdain s'écrie, quand il est question des menuets : *« Je veux que vous me les voyiez danser » ;* quel trait de caractère révèle cette réplique ?

Stratégies : ***Les parasites***

7. À quel moment a-t-on le sentiment que le maître de musique cherche à tirer le plus de profit de la situation ?

8. Comment les maîtres s'y prennent-ils pour apaiser les inquiétudes du bourgeois ?

Société : ***Les usages de la société noble***

9. Comme les « gens de qualité » auxquels il veut s'identifier, M. Jourdain désire organiser des concerts privés ; comme eux, il apprend à danser le menuet et à faire la triple révérence. Cependant, cela suffit-il pour qu'il ressemble à un noble ? Quelles sont les remarques qui « sentent le bourgeois » ?

Mise en scène : ***Le geste comique***

10. Quelle image M. Jourdain donne-t-il de lui quand il danse le menuet ?

Scène 2 : MAÎTRE D'ARMES, MAÎTRE DE MUSIQUE, MAÎTRE À DANSER, MONSIEUR JOURDAIN, DEUX LAQUAIS

MAÎTRE D'ARMES, *après lui avoir mis le fleuret à la main.* Allons, Monsieur, la révérence[1]. Votre corps droit. Un peu penché sur la cuisse gauche. Les jambes point tant écartées. Vos pieds sur une même ligne. Votre poignet à l'opposite[2] de votre hanche. La pointe de votre épée vis-à-vis de votre épaule. Le bras pas tout à fait si étendu. La main gauche à la hauteur de l'œil. L'épaule gauche plus quartée[3]. La tête droite. Le regard assuré. Avancez. Le corps ferme. Touchez-moi l'épée de quarte, et achevez de même. Une, deux. Remettez-vous. Redoublez[4] de pied ferme. Une, deux. Un saut en arrière. Quand vous portez la botte[5], Monsieur, il faut que l'épée parte la première, et que le corps soit bien effacé. Une, deux. Allons, touchez-moi l'épée de tierce, et achevez de même. Avancez. Le corps ferme. Avancez. Partez de là. Une, deux. Remettez-vous. Redoublez. Une, deux. Un saut en arrière. En garde, Monsieur, en garde.

Le Maître d'armes lui pousse deux ou trois bottes, en lui disant : « En garde ».

MONSIEUR JOURDAIN. Euh ?

MAÎTRE DE MUSIQUE. Vous faites des merveilles.

MAÎTRE D'ARMES. Je vous l'ai déjà dit, tout le secret des armes ne consiste qu'en deux choses, à donner, et à ne point recevoir ; et comme je vous fis voir l'autre jour par raison démonstrative[6], il est impossible que vous receviez, si vous savez détourner l'épée de votre ennemi de la ligne de votre corps : ce qui ne dépend seulement que d'un petit mouvement du poignet ou en dedans, ou en dehors.

1 *Révérence* : salut que s'adressent les duellistes avant l'assaut.
2 *À l'opposite* : à l'opposé.
3 *Quartée* : tournée pour esquiver (*quarter*, c'est « ôter son corps hors de la ligne » pour esquiver, selon le dict. de Furetière).
4 *Redoublez* : recommencez.
5 *Botte* : coup, en termes d'escrime.
6 *Par raison démonstrative* : au moyen d'un raisonnement convaincant.

MONSIEUR JOURDAIN. De cette façon donc, un homme, sans avoir du cœur[1], est sûr de tuer son homme, et de n'être point tué.

MAÎTRE D'ARMES. Sans doute. N'en vîtes-vous pas la démonstration ?

MONSIEUR JOURDAIN. Oui.

MAÎTRE D'ARMES. Et c'est en quoi l'on voit de quelle considération nous autres nous devons être dans un État[2], et combien la science des armes l'emporte hautement sur toutes les autres sciences inutiles, comme la danse, la musique, la...

MAÎTRE À DANSER. Tout beau[3], Monsieur le tireur d'armes : ne parlez de la danse qu'avec respect.

MAÎTRE DE MUSIQUE. Apprenez, je vous prie, à mieux traiter l'excellence de la musique.

MAÎTRE D'ARMES. Vous êtes de plaisantes gens, de vouloir comparer vos sciences à la mienne !

MAÎTRE DE MUSIQUE. Voyez un peu l'homme d'importance !

MAÎTRE À DANSER. Voilà un plaisant animal, avec son plastron[4] !

MAÎTRE D'ARMES. Mon petit maître à danser, je vous ferais danser comme il faut. Et vous, mon petit musicien, je vous ferais chanter de la belle manière.

MAÎTRE À DANSER. Monsieur le batteur de fer, je vous apprendrai votre métier.

MONSIEUR JOURDAIN, *au Maître à danser.* Êtes-vous fou de l'aller quereller, lui qui entend la tierce et la quarte, et qui sait tuer un homme par raison démonstrative ?

MAÎTRE À DANSER. Je me moque de sa raison démonstrative, et de sa tierce et de sa quarte.

MONSIEUR JOURDAIN. Tout doux, vous dis-je.

1 *Cœur* : courage.
2 Il est vrai que Louis XIV avait fait anoblir les six plus anciens maîtres d'armes de Paris, après vingt ans d'exercice (lettres patentes de 1656).
3 *Tout beau* : doucement, du calme.
4 *Plastron* : « pièce de cuir rembourrée que les escrimeurs portent sur la poitrine ». (Dict. Robert.)

SITUER

Le mouvement de l'acte I se prolonge, car un nouveau maître arrive qui va donner une leçon d'escrime à M. Jourdain.

OBSERVER

Vocabulaire et grammaire : *« Retenez-moi... »*

1. À quelles expressions sent-on que le maître d'armes est plus emporté que les deux autres ?

2. Quelle est la réplique qui déclenche les hostilités ? Pourquoi ?

3. Étudiez, dans la deuxième partie de la scène, le temps et le sens des verbes. Quel défaut des maîtres est ici révélé ?

APPROFONDIR

Caractères : *Tout s'éclaire*

4. Quelle est l'attitude du maître de musique pendant la leçon d'escrime ?

5. Un nouveau trait de caractère de M. Jourdain apparaît lors de la dispute ; quel est-il ?

L'art du théâtre : *La montée du comique*

6. En quoi la démonstration du maître d'armes est-elle comique ? Pourquoi la réplique *« Sans doute n'en vîtes-vous pas la démonstration ? »* fait-elle rire ?

7. Montrez qu'il y a une gradation dans la dispute (arguments, injures, puis menaces) et que la situation échappe progressivement à M. Jourdain.

Mise en scène : *Gestes et déplacements*

8. À partir de la première réplique du maître d'armes, décrivez l'attitude grotesque de M. Jourdain.

9. Imaginez la disposition des personnages durant cette scène. Restent-ils sur place ou se déplacent-ils ? De quelle manière ? Justifiez votre réponse. Comment voyez-vous M. Jourdain réagir à la dispute ?

MAÎTRE D'ARMES. Comment ? petit impertinent.

MONSIEUR JOURDAIN. Eh ! mon Maître d'armes !

MAÎTRE À DANSER. Comment ? grand cheval de carrosse[1].

MONSIEUR JOURDAIN. Eh ! mon Maître à danser.

MAÎTRE D'ARMES. Si je me jette sur vous...

MONSIEUR JOURDAIN. Doucement !

MAÎTRE À DANSER. Si je mets sur vous la main...

MONSIEUR JOURDAIN. Tout beau !

MAÎTRE D'ARMES. Je vous étrillerai[2] d'un air...

MONSIEUR JOURDAIN. De grâce !

MAÎTRE À DANSER. Je vous rosserai d'une manière...

MONSIEUR JOURDAIN. Je vous prie !

MAÎTRE DE MUSIQUE. Laissez-nous un peu lui apprendre à parler.

MONSIEUR JOURDAIN. Mon Dieu ! arrêtez-vous.

Scène 3 : MAÎTRE DE PHILOSOPHIE, MAÎTRE DE MUSIQUE, MAÎTRE À DANSER, MAÎTRE D'ARMES, MONSIEUR JOURDAIN, LAQUAIS

MONSIEUR JOURDAIN. Holà, Monsieur le philosophe, vous arrivez tout à propos avec votre philosophie. Venez un peu mettre la paix entre ces personnes-ci.

MAÎTRE DE PHILOSOPHIE. Qu'est-ce donc ? qu'y a-t-il, Messieurs ?

MONSIEUR JOURDAIN. Ils se sont mis en colère pour la préférence[3] de leurs professions, jusqu'à se dire des injures, et en vouloir venir aux mains.

1 *Cheval de carrosse* : cheval de trait, lourd, sans race.
2 *Étriller* : battre, malmener.
3 *Préférence* : supériorité.

MAÎTRE DE PHILOSOPHIE. Hé quoi ? Messieurs, faut-il s'emporter de la sorte ? et n'avez-vous point lu le docte[1] traité que Sénèque[2] a composé de la colère ? Y a-t-il rien de plus bas et de plus honteux que cette passion, qui fait d'un homme une bête féroce ? et la raison ne doit-elle pas être maîtresse de tous nos mouvements ?

MAÎTRE À DANSER. Comment, Monsieur, il vient nous dire des injures à tous deux, en méprisant la danse que j'exerce, et la musique dont il fait profession ?

MAÎTRE DE PHILOSOPHIE. Un homme sage est au-dessus de toutes les injures qu'on lui peut dire ; et la grande réponse qu'on doit faire aux outrages, c'est la modération et la patience.

MAÎTRE D'ARMES. Ils ont tous deux l'audace de vouloir comparer leurs professions à la mienne.

MAÎTRE DE PHILOSOPHIE. Faut-il que cela vous émeuve ? Ce n'est pas de vaine gloire et de condition[3] que les hommes doivent disputer[4] entre eux ; et ce qui nous distingue parfaitement les uns des autres, c'est la sagesse et la vertu.

MAÎTRE À DANSER. Je lui soutiens que la danse est une science à laquelle on ne peut faire assez d'honneur.

MAÎTRE DE MUSIQUE. Et moi, que la musique en est une que tous les siècles ont révérée[5].

MAÎTRE D'ARMES. Et moi, je leur soutiens à tous deux que la science de tirer des armes est la plus belle et la plus nécessaire de toutes les sciences.

MAÎTRE DE PHILOSOPHIE. Et que sera donc la philosophie ? Je vous trouve tous trois bien impertinents de parler devant moi avec cette arrogance[6], et de donner impudemment le nom de science

1 *Docte* : savant.
2 *Sénèque* est un philosophe stoïcien de l'Antiquité romaine, dont les œuvres enseignent la manière de dominer les passions ; le maître de philosophie fait ici allusion au *De Ira (La colère)*.
3 *Condition* : rang qu'on tient dans la société.
4 *Disputer* : discuter, s'entretenir.
5 *Révérée* : respectée, admirée.
6 *Arrogance* : insolence, mépris.

à des choses que l'on ne doit pas même honorer du nom d'art, et qui ne peuvent être comprises que sous le nom de métier misérable de gladiateur, de chanteur, et de baladin[1] !

MAÎTRE D'ARMES. Allez, philosophe de chien.

MAÎTRE DE MUSIQUE. Allez, belître[2] de pédant.

MAÎTRE À DANSER. Allez, cuistre fieffé[3].

MAÎTRE DE PHILOSOPHIE. Comment ? marauds[4] que vous êtes...

Le philosophe se jette sur eux, et tous trois le chargent de coups, et sortent en se battant.

MONSIEUR JOURDAIN. Monsieur le philosophe.

MAÎTRE DE PHILOSOPHIE. Infâmes ! coquins ! insolents !

MONSIEUR JOURDAIN. Monsieur le philosophe.

MAÎTRE D'ARMES. La peste l'animal[5] !

MONSIEUR JOURDAIN. Messieurs.

MAÎTRE DE PHILOSOPHIE. Impudents[6] !

MONSIEUR JOURDAIN. Monsieur le philosophe.

MAÎTRE À DANSER. Diantre soit de l'âne bâté[7] !

MONSIEUR JOURDAIN. Messieurs.

MAÎTRE DE PHILOSOPHIE. Scélérats !

MONSIEUR JOURDAIN. Monsieur le philosophe.

MAÎTRE DE MUSIQUE. Au diable l'impertinent !

MONSIEUR JOURDAIN. Messieurs.

MAÎTRE DE PHILOSOPHIE. Fripons ! gueux ! traîtres ! imposteurs !

Ils sortent.

1 *Baladin* : terme péjoratif pour *danseur.*
2 *Belître* : homme de rien, coquin.
3 *Cuistre fieffé* : prétentieux parfait, qui étale des connaissances mal assimilées.
4 *Marauds* : coquins.
5 *La peste l'animal* : que la peste emporte cet animal.
6 *Impudents* : insolents.
7 *Diantre soit de l'âne bâté* : que cet âne aille au diable.

SITUER

La maison du bourgeois continue de se remplir avec l'arrivée du maître de philosophie.

OBSERVER

Vocabulaire : ***Le lecteur de Sénèque***

1. Cherchez dans un dictionnaire le sens du mot *philosophe.*

2. Relevez le vocabulaire et les formules (phrases interrogatives et formules à portée générale) qui permettent de penser d'abord que le philosophe est un sage.

La phrase et le dialogue : ***L'enchaînement***

3. Quelles sont les formules d'enchaînement qui marquent nettement l'hostilité des personnages ? (l. 26-42)

APPROFONDIR

Caractères : ***Les roquets et le bonhomme***

4. Le maître de philosophie n'a-t-il pas finalement un trait de caractère en commun avec les trois autres ? Lequel ? À quoi le voyez-vous ?

5. Le maître à danser le traite de *« cuistre »* ; cherchez le sens de ce mot et montrez que cette injure est justifiée.

6. La dernière réplique de la scène ne confirme-t-elle pas un trait de caractère de M. Jourdain ? Lequel ? Où cela est-il déjà apparu ?

Structure : ***Le mouvement de la scène***

7. Pourquoi peut-on dire que la structure de cette scène est identique à celle de la précédente ?

8. Où se fait le renversement de situation ? Était-il prévisible ?

9. Pourquoi l'effet de surprise est-il encore plus drôle que dans la scène précédente ?

MONSIEUR JOURDAIN. Monsieur le philosophe, Messieurs, Monsieur le philosophe, Messieurs, Monsieur le philosophe. Oh ! battez-vous tant qu'il vous plaira : je n'y saurais que faire, et je n'irai pas gâter ma robe pour vous séparer. Je serais bien fou de m'aller fourrer parmi eux, pour recevoir quelque coup qui me ferait mal.

Scène 4 : MAÎTRE DE PHILOSOPHIE, MONSIEUR JOURDAIN

MAÎTRE DE PHILOSOPHIE, *en raccommodant son collet*[1]. Venons à notre leçon.

MONSIEUR JOURDAIN. Ah ! Monsieur, je suis fâché des coups qu'ils vous ont donnés.

MAÎTRE DE PHILOSOPHIE. Cela n'est rien. Un philosophe sait recevoir comme il faut les choses, et je vais composer contre eux une satire du style de Juvénal[2], qui les déchirera de la belle façon. Laissons cela. Que voulez-vous apprendre ?

MONSIEUR JOURDAIN. Tout ce que je pourrai, car j'ai toutes les envies du monde d'être savant ; et j'enrage que mon père et ma mère ne m'aient pas fait bien étudier dans toutes les sciences, quand j'étais jeune.

MAÎTRE DE PHILOSOPHIE. Ce sentiment est raisonnable : *Nam sine doctrina vita est quasi mortis imago.* Vous entendez[3] cela, et vous savez le latin sans doute.

MONSIEUR JOURDAIN. Oui, mais faites comme si je ne le savais pas : expliquez-moi ce que cela veut dire.

MAÎTRE DE PHILOSOPHIE. Cela veut dire que *sans la science, la vie est presque une image de la mort.*

1 *Collet* : partie du vêtement, de toile blanche, que l'on portait sur le col de la veste (pourpoint) et que le maître de philosophie remet ici en place.

2 *Juvénal*, poète latin de l'Antiquité, est l'auteur de violentes satires, ouvrages qui critiquent les mœurs, les vices et les ridicules des hommes.

3 *Vous entendez* : vous comprenez.

MONSIEUR JOURDAIN. Ce latin-là a raison.

MAÎTRE DE PHILOSOPHIE. N'avez-vous point quelques principes, quelques commencements des sciences ?

MONSIEUR JOURDAIN. Oh ! oui, je sais lire et écrire.

MAÎTRE DE PHILOSOPHIE. Par où vous plaît-il que nous commencions ? Voulez-vous que je vous apprenne la logique[1] ?

MONSIEUR JOURDAIN. Qu'est-ce que c'est que cette logique ?

MAÎTRE DE PHILOSOPHIE. C'est elle qui enseigne les trois opérations de l'esprit[2].

MONSIEUR JOURDAIN. Qui sont-elles[3], ces trois opérations de l'esprit ?

MAÎTRE DE PHILOSOPHIE. La première, la seconde, et la troisième. La première est de bien concevoir par le moyen des universaux. La seconde, de bien juger par le moyen des catégories ; et la troisième, de bien tirer une conséquence par le moyen des figures *barbara, celarent, darii, ferio, baralipton*[4], etc.

MONSIEUR JOURDAIN. Voilà des mots qui sont trop rébarbatifs[5]. Cette logique-là ne me revient point. Apprenons autre chose qui soit plus joli.

MAÎTRE DE PHILOSOPHIE. Voulez-vous apprendre la morale ?

MONSIEUR JOURDAIN. La morale ?

MAÎTRE DE PHILOSOPHIE. Oui.

MONSIEUR JOURDAIN. Qu'est-ce qu'elle dit cette morale ?

MAÎTRE DE PHILOSOPHIE. Elle traite de la félicité[6], enseigne aux hommes à modérer leurs passions, et...

1 *Logique* : partie de la philosophie qui enseigne l'art de raisonner.
2 *Les trois opérations de l'esprit* sont la conception ou perception, le jugement et le raisonnement. Les *universaux*, caractères communs aux individus d'une espèce, sont au nombre de cinq : le genre, l'espèce, la différence, le propre et l'accident. Les *catégories* et les *figures* sont, elles aussi, des principes d'analyse et de classement des activités intellectuelles.
3 *Qui sont-elles* : quelles sont-elles.
4 Ces termes latins sont des moyens mnémotechniques, qui permettent, par association d'idées, de retenir la façon d'organiser un raisonnement.
5 *Rébarbatifs* : ennuyeux.
6 *Félicité* : bonheur.

MONSIEUR JOURDAIN. Non, laissons cela. Je suis bilieux comme tous les diables ; et il n'y a morale qui tienne, je me veux mettre en colère tout mon soûl, quand il m'en prend envie.

MAÎTRE DE PHILOSOPHIE. Est-ce la physique que vous voulez apprendre ?

MONSIEUR JOURDAIN. Qu'est-ce qu'elle chante cette physique ?

MAÎTRE DE PHILOSOPHIE. La physique est celle qui explique les principes des choses naturelles, et les propriétés du corps ; qui discourt de la nature des éléments, des métaux, des minéraux, des pierres, des plantes et des animaux, et nous enseigne les causes de tous les météores, l'arc-en-ciel, les feux volants[1], les comètes, les éclairs, le tonnerre, la foudre, la pluie, la neige, la grêle, les vents et les tourbillons[2].

MONSIEUR JOURDAIN. Il y a trop de tintamarre là dedans, trop de brouillamini[3].

MAÎTRE DE PHILOSOPHIE. Que voulez-vous donc que je vous apprenne ?

MONSIEUR JOURDAIN. Apprenez-moi l'orthographe.

MAÎTRE DE PHILOSOPHIE. Très volontiers.

MONSIEUR JOURDAIN. Après vous m'apprendrez l'almanach, pour savoir quand il y a de la lune et quand il n'y en a point.

MAÎTRE DE PHILOSOPHIE. Soit. Pour bien suivre votre pensée et traiter cette matière en philosophe, il faut commencer selon l'ordre des choses, par une exacte connaissance de la nature des lettres, et de la différente manière de les prononcer toutes. Et là-dessus j'ai à vous dire que les lettres sont divisées en voyelles, ainsi dites voyelles parce qu'elles expriment les voix[4] ; et en consonnes, ainsi appelées consonnes parce qu'elles sonnent avec les voyelles, et ne font que marquer les diverses articulations des voix. Il y a cinq voyelles ou voix : A, E, I, O, U.

1 *Les feux volants* : les feux follets et les feux Saint-Elme des marins.
2 Il s'agit des *tourbillons* dus aux cyclones et ouragans.
3 *Brouillamini* : désordre, confusion.
4 *Voix* : sons.

MONSIEUR JOURDAIN. J'entends[1] tout cela.

MAÎTRE DE PHILOSOPHIE. La voix A se forme en ouvrant fort la bouche : A[2].

MONSIEUR JOURDAIN. A, A. Oui.

MAÎTRE DE PHILOSOPHIE. La voix E se forme en rapprochant la mâchoire d'en bas de celle d'en haut : A, E.

MONSIEUR JOURDAIN. A, E, A, E. Ma foi ! oui. Ah ! que cela est beau !

MAÎTRE DE PHILOSOPHIE. Et la voix I en rapprochant encore davantage les mâchoires l'une de l'autre, et écartant les deux coins de la bouche vers les oreilles : A, E, I.

MONSIEUR JOURDAIN. A, E, I, I, I, I. Cela est vrai. Vive la science !

MAÎTRE DE PHILOSOPHIE. La voix O se forme en rouvrant les mâchoires, et rapprochant les lèvres par les deux coins, le haut et le bas : O.

MONSIEUR JOURDAIN. O, O. Il n'y a rien de plus juste. A, E, I, O, I, O. Cela est admirable ! I, O, I, O.

MAÎTRE DE PHILOSOPHIE. L'ouverture de la bouche fait justement comme un petit rond qui représente un O.

MONSIEUR JOURDAIN. O, O, O. Vous avez raison, O. Ah ! la belle chose, que de savoir quelque chose !

MAÎTRE DE PHILOSOPHIE. La voix U se forme en rapprochant les dents sans les joindre entièrement, et allongeant les deux lèvres en dehors, les approchant aussi l'une de l'autre sans les rejoindre tout à fait : U.

MONSIEUR JOURDAIN. U, U. Il n'y a rien de plus véritable : U.

MAÎTRE DE PHILOSOPHIE. Vos deux lèvres s'allongent comme si vous faisiez la moue : d'où vient que si vous la voulez faire à quelqu'un, et vous moquer de lui, vous ne sauriez lui dire que : U.

MONSIEUR JOURDAIN. U, U. Cela est vrai. Ah ! que n'ai-je étudié plus tôt, pour savoir tout cela ?

1 *J'entends* : je comprends.
2 Molière s'inspire, pour cette leçon de phonétique, d'un ouvrage paru en 1668, le *Discours physique de la parole*, de l'académicien Cordemoy.

MAÎTRE DE PHILOSOPHIE. Demain, nous verrons les autres lettres, qui sont les consonnes.

MONSIEUR JOURDAIN. Est-ce qu'il y a des choses aussi curieuses qu'à celles-ci ?

MAÎTRE DE PHILOSOPHIE. Sans doute. La consonne D, par exemple, se prononce en donnant du bout de la langue au-dessus des dents d'en haut : DA.

MONSIEUR JOURDAIN. DA, DA. Oui. Ah ! les belles choses ! les belles choses !

MAÎTRE DE PHILOSOPHIE. L'F en appuyant les dents d'en haut sur la lèvre de dessous : FA.

MONSIEUR JOURDAIN. FA, FA. C'est la vérité. Ah ! mon père et ma mère, que je vous veux de mal !

MAÎTRE DE PHILOSOPHIE. Et l'R, en portant le bout de la langue jusqu'au haut du palais, de sorte qu'étant frôlée par l'air qui sort avec force, elle lui cède, et revient toujours au même endroit, faisant une manière de tremblement : RRA.

MONSIEUR JOURDAIN. R, R, RA ; R, R, R, R, R, RA. Cela est vrai. Ah ! l'habile homme que vous êtes ! et que j'ai perdu de temps ! R, r, r, ra.

MAÎTRE DE PHILOSOPHIE. Je vous expliquerai à fond toutes ces curiosités.

MONSIEUR JOURDAIN. Je vous en prie. Au reste, il faut que je vous fasse une confidence. Je suis amoureux d'une personne de grande qualité[1], et je souhaiterais que vous m'aidassiez à lui écrire quelque chose dans un petit billet que je veux laisser tomber à ses pieds.

MAÎTRE DE PHILOSOPHIE. Fort bien.

MONSIEUR JOURDAIN. Cela sera galant[2], oui.

MAÎTRE DE PHILOSOPHIE. Sans doute. Sont-ce des vers que vous lui voulez écrire ?

1 *De grande qualité* : de haute noblesse. ☞ p. 189.
2 *Galant* : ☞ p. 189.

MONSIEUR JOURDAIN. Non, non, point de vers.

MAÎTRE DE PHILOSOPHIE. Vous ne voulez que de la prose ?

MONSIEUR JOURDAIN. Non, je ne veux ni prose ni vers.

MAÎTRE DE PHILOSOPHIE. Il faut bien que ce soit l'un, ou l'autre.

MONSIEUR JOURDAIN. Pourquoi ?

MAÎTRE DE PHILOSOPHIE. Par la raison, Monsieur, qu'il n'y a pour s'exprimer que la prose, ou les vers.

MONSIEUR JOURDAIN. Il n'y a que la prose ou les vers ?

MAÎTRE DE PHILOSOPHIE. Non, Monsieur : tout ce qui n'est point prose est vers ; et tout ce qui n'est point vers est prose.

MONSIEUR JOURDAIN. Et comme l'on parle qu'est-ce que c'est donc que cela ?

MAÎTRE DE PHILOSOPHIE. De la prose.

MONSIEUR JOURDAIN. Quoi ? quand je dis : « Nicole, apportez-moi mes pantoufles, et me donnez mon bonnet de nuit », c'est de la prose ?

MAÎTRE DE PHILOSOPHIE. Oui, Monsieur.

MONSIEUR JOURDAIN. Par ma foi ! il y a plus de quarante ans que je dis de la prose sans que j'en susse rien, et je vous suis le plus obligé du monde de m'avoir appris cela. Je voudrais donc lui mettre dans un billet : *Belle Marquise, vos beaux yeux me font mourir d'amour ;* mais je voudrais que cela fût mis d'une manière galante, que cela fût tourné gentiment[1].

MAÎTRE DE PHILOSOPHIE. Mettre que les feux de ses yeux réduisent votre cœur en cendres ; que vous souffrez nuit et jour pour elle les violences d'un...

MONSIEUR JOURDAIN. Non, non, non, je ne veux point tout cela ; je ne veux que ce que je vous ai dit : *Belle Marquise, vos beaux yeux me font mourir d'amour.*

MAÎTRE DE PHILOSOPHIE. Il faut bien étendre un peu la chose.

MONSIEUR JOURDAIN. Non, vous dis-je, je ne veux que ces seules paroles-là dans le billet ; mais tournées à la mode ; bien

1 *Gentiment* : agréablement.

arrangées comme il faut. Je vous prie de me dire un peu, pour voir, les diverses manières dont on les peut mettre.

MAÎTRE DE PHILOSOPHIE. On les peut mettre premièrement comme vous avez dit : *Belle Marquise, vos beaux yeux me font mourir d'amour.* Ou bien : *D'amour mourir me font, belle Marquise, vos beaux yeux.* Ou bien : *Vos yeux beaux d'amour me font, belle Marquise, mourir.* Ou bien : *Mourir vos beaux yeux, belle Marquise, d'amour me font.* Ou bien : *Me font vos yeux beaux mourir, belle Marquise, d'amour.*

MONSIEUR JOURDAIN. Mais de toutes ces façons-là, laquelle est la meilleure ?

MAÎTRE DE PHILOSOPHIE. Celle que vous avez dite : *Belle Marquise, vos beaux yeux me font mourir d'amour.*

MONSIEUR JOURDAIN. Cependant je n'ai point étudié, et j'ai fait cela tout du premier coup. Je vous remercie de tout mon cœur, et vous prie de venir demain de bonne heure.

MAÎTRE DE PHILOSOPHIE. Je n'y manquerai pas.

MONSIEUR JOURDAIN. Comment ? mon habit n'est point encore arrivé[1] ?

SECOND LAQUAIS. Non, Monsieur.

MONSIEUR JOURDAIN. Ce maudit tailleur me fait bien attendre pour un jour où j'ai tant d'affaires. J'enrage. Que la fièvre quartaine[2] puisse serrer bien fort le bourreau de tailleur ! Au diable le tailleur ! La peste étouffe le tailleur ! Si je le tenais maintenant, ce tailleur détestable, ce chien de tailleur-là, ce traître de tailleur, je...

► *Photos ci-contre :*
Jacques Charon (MONSIEUR JOURDAIN) et Robert Hirsch (LE MAÎTRE DE PHILOSOPHIE) dans la mise en scène de Jean-Louis Barrault, la Comédie-Française aux Tuileries, 1972.

1 Monsieur Jourdain s'adresse à son laquais.
2 *Fièvre quartaine* : fièvre intermittente qui « vient de quatre en quatre jours ». (Dict. de Furetière, 1690.)

SITUER

Après la violente dispute entre les quatre maîtres, le calme revient. M. Jourdain reste seul avec le maître de philosophie pour sa première leçon.

OBSERVER

Tons : ***La belle chose, que de savoir quelque chose !***

1. Quels sentiments se manifestent d'abord dans les questions de M. Jourdain (vocabulaire, tours de phrases...) ?

2. Où et en quels termes s'exprime son enthousiasme ? À propos de quelles connaissances ?

APPROFONDIR

Caractères : ***La peinture du héros s'enrichit***

3. Quelles sont les différentes matières que le bourgeois refuse d'apprendre et que pensez-vous des raisons qu'il donne ? Où se révèle son ignorance ?

4. Conçoit-il l'enseignement comme une formation de l'esprit ou comme l'apprentissage de choses immédiatement utiles ? Justifiez votre réponse. Quel risque court-on à ne recevoir qu'une instruction pratique ?

5. Pourquoi les « découvertes » de M. Jourdain font-elles rire ?

6. Quel autre trait de caractère du bourgeois apparaît ici ? Dans quelles répliques ?

L'art du théâtre : ***De découverte en découverte***

7. Quels sont les différents moments de la scène ?

8. La leçon de phonétique contient des effets comiques de caractère, de gestes, et aussi de mots ; essayez de les relever et de les classer. Sur les photos p. 55, quelles sont, selon vous, les voyelles prononcées par M. Jourdain ?

9. Le mystérieux personnage qui préoccupe le héros se précise ; de quels éléments nouveaux disposons-nous ?

Mise en scène : ***Aspects d'un rôle***

10. D'après ses mimiques sur les photos p. 55, pouvez-vous dire par quels sentiments passe le maître de philosophie ?

11. En comparant ces photos à celle de la p. 13, précisez la façon dont les deux mises en scène représentent ce personnage.

Scène 5 : MAÎTRE TAILLEUR, GARÇON TAILLEUR, *portant l'habit de M. Jourdain,* MONSIEUR JOURDAIN, LAQUAIS

MONSIEUR JOURDAIN. Ah vous voilà ! je m'allais mettre en colère contre vous.

MAÎTRE TAILLEUR. Je n'ai pas pu venir plus tôt, et j'ai mis vingt garçons après votre habit.

MONSIEUR JOURDAIN. Vous m'avez envoyé des bas de soie si étroits, que j'ai eu toutes les peines du monde à les mettre, et il y a déjà deux mailles de rompues.

MAÎTRE TAILLEUR. Ils ne s'élargiront que trop.

MONSIEUR JOURDAIN. Oui, si je romps toujours des mailles. Vous m'avez aussi fait faire des souliers qui me blessent furieusement[1].

MAÎTRE TAILLEUR. Point du tout, Monsieur.

MONSIEUR JOURDAIN. Comment, point du tout ?

MAÎTRE TAILLEUR. Non, ils ne vous blessent point.

MONSIEUR JOURDAIN. Je vous dis qu'ils me blessent, moi.

MAÎTRE TAILLEUR. Vous vous imaginez cela.

MONSIEUR JOURDAIN. Je me l'imagine, parce que je le sens. Voyez la belle raison !

MAÎTRE TAILLEUR. Tenez, voilà le plus bel habit de la cour, et le mieux assorti. C'est un chef-d'œuvre que d'avoir inventé un habit sérieux qui ne fût pas noir ; et je le donne en six coups[2] aux tailleurs les plus éclairés[3].

MONSIEUR JOURDAIN. Qu'est-ce que c'est que ceci ? Vous avez mis les fleurs en enbas[4].

1 *Furieusement* : terriblement.
2 *Je le donne en six coups* : formule de défi, empruntée au jeu.
3 *Les plus éclairés* : les plus compétents.
4 *En enbas* : à l'envers, la tige en l'air.

MAÎTRE TAILLEUR. Vous ne m'aviez pas dit que vous les vouliez en enhaut.

MONSIEUR JOURDAIN. Est-ce qu'il faut dire cela ?

MAÎTRE TAILLEUR. Oui, vraiment. Toutes les personnes de qualité les portent de la sorte.

MONSIEUR JOURDAIN. Les personnes de qualité portent les fleurs en enbas ?

MAÎTRE TAILLEUR. Oui, Monsieur.

MONSIEUR JOURDAIN. Oh ! voilà qui est donc bien.

MAÎTRE TAILLEUR. Si vous voulez, je les mettrai en enhaut.

MONSIEUR JOURDAIN. Non, non.

MAÎTRE TAILLEUR. Vous n'avez qu'à dire.

MONSIEUR JOURDAIN. Non, vous dis-je ; vous avez bien fait. Croyez-vous que l'habit m'aille bien ?

MAÎTRE TAILLEUR. Belle demande ! Je défie un peintre, avec son pinceau, de vous faire rien de plus juste. J'ai chez moi un garçon qui, pour monter une rhingrave[1], est le plus grand génie du monde ; et un autre qui, pour assembler un pourpoint[2], est le héros de notre temps.

MONSIEUR JOURDAIN. La perruque et les plumes sont-elles comme il faut ?

MAÎTRE TAILLEUR. Tout est bien.

MONSIEUR JOURDAIN, *en regardant l'habit du tailleur.* Ah, ah ! Monsieur le tailleur, voilà de mon étoffe du dernier habit que vous m'avez fait. Je la reconnais bien.

MAÎTRE TAILLEUR. C'est que l'étoffe me sembla si belle, que j'en ai voulu lever un habit[3] pour moi.

1 *Une rhingrave* : « une culotte ou haut-de-chausses fort ample » (dict. de Furetière, 1690), mise à la mode par un noble du Rhin (Rheingraf).
2 *Pourpoint* : partie du vêtement correspondant à la veste.
3 *J'en ai voulu lever un habit* : j'ai voulu y prendre l'étoffe pour un habit.

MONSIEUR JOURDAIN. Oui, mais il ne fallait pas le lever avec le mien[1].

MAÎTRE TAILLEUR. Voulez-vous mettre votre habit ?

MONSIEUR JOURDAIN. Oui, donnez-le-moi.

MAÎTRE TAILLEUR. Attendez. Cela ne va pas comme cela. J'ai amené des gens pour vous habiller en cadence, et ces sortes d'habits se mettent avec cérémonie. Holà ! entrez, vous autres. Mettez cet habit à Monsieur, de la manière que vous faites aux personnes de qualité.

Quatre garçons tailleurs entrent, dont deux lui arrachent le haut-de-chausses de ses exercices, et deux autres la camisole ; puis ils lui mettent son habit neuf ; et M. Jourdain se promène entre eux, et leur montre son habit, pour voir s'il est bien. Le tout à la cadence de toute la symphonie.

GARÇON TAILLEUR. Mon gentilhomme[2], donnez, s'il vous plaît, aux garçons quelque chose pour boire.

MONSIEUR JOURDAIN. Comment m'appelez-vous ?

GARÇON TAILLEUR. Mon gentilhomme.

MONSIEUR JOURDAIN. « Mon gentilhomme » ! Voilà ce que c'est de se mettre en personne de qualité. Allez-vous-en demeurer toujours habillé en bourgeois, on ne vous dira point : « mon gentilhomme. » Tenez[3], voilà pour « Mon gentilhomme. »

GARÇON TAILLEUR. Monseigneur, nous vous sommes bien obligés[4].

MONSIEUR JOURDAIN. « Monseigneur », oh, oh ! « Monseigneur » ! Attendez, mon ami : « Monseigneur » mérite quelque chose, et ce n'est pas une petite parole que « Monseigneur. » Tenez, voilà ce que Monseigneur vous donne.

1 *Le lever avec le mien* : en prendre l'étoffe dans la pièce que j'ai payée pour mon habit.

2 Un *gentilhomme* (☞ p. 189) appartient à la plus ancienne et la plus prestigieuse noblesse ; *Monseigneur* est le titre qu'on donne à un duc et pair, à un évêque ou un archevêque, à un maréchal de France. *Votre Grandeur* se dit à des grands seigneurs qui n'ont pas droit au titre d'*Altesse*, titre réservé aux princes du sang ou aux princes souverains.

3 M. Jourdain donne un pourboire au garçon tailleur.

4 *Obligés* : reconnaissants.

GARÇON TAILLEUR. Monseigneur, nous allons boire tous à la santé de Votre Grandeur.

MONSIEUR JOURDAIN. « Votre Grandeur ! » Oh, oh, oh ! Attendez, ne vous en allez pas. À moi « Votre Grandeur ! » Ma foi, s'il va jusqu'à l'Altesse, il aura toute la bourse[1]. Tenez, voilà pour Ma Grandeur.

GARÇON TAILLEUR. Monseigneur, nous la remercions très humblement de ses libéralités[2].

MONSIEUR JOURDAIN. Il a bien fait : je lui allais tout donner.

Les quatre garçons tailleurs se réjouissent par une danse, qui fait le second intermède.

il donne aux garçons quand le tailleur dit donnez-les qqc à boir. (Boir ≠ pourboire). Alors on voit encore qu'il n'est que bourgeois

1 Depuis *« Oh, oh, oh... »*, M. Jourdain se parle à lui-même (en aparté). ☞ p. 190. Ensuite, il s'adresse au garçon tailleur.
2 *Ses libéralités* : sa générosité.

SITUER

Dernière entrée, celle du maître tailleur accompagné des garçons tailleurs.

OBSERVER

Tons : ***L'effet de contraste***

1. En quoi y a-t-il un contraste de ton entre la dernière réplique de la scène précédente et la première de celle-ci ? Quel effet cela provoque-t-il ?

Vocabulaire : ***Un singulier affrontement***

2. À quels indices voit-on que le maître tailleur est un personnage autoritaire ?

3. Recherchez les hyperboles (☞ p. 190) dans le discours de ce personnage.

4. Quelle est la réplique qui trahit, encore une fois, l'obsession du bourgeois ?

APPROFONDIR

Caractères : ***Un amusant bras de fer***

5. Quels sont les défauts du maître tailleur ?

6. M. Jourdain a tout de même un certain bon sens, puisqu'il voit que le tailleur a utilisé son étoffe ; mais pour quelle raison ne va-t-il pas plus loin ? Pourquoi rit-on de sa dernière réplique ?

Stratégies : ***« Mon gentilhomme »***

7. Pourquoi peut-on dire que le maître tailleur, bien qu'il ne soit pas flatteur, est fin psychologue ? Comment procède-t-il pour mener M. Jourdain là où il veut ?

8. En quoi réside précisément l'habileté du garçon tailleur face à M. Jourdain ?

ÉCRIRE

9. À la fin d'un match, les camarades de votre équipe vous reprochent, à raison, de les avoir fait perdre ; vous vous trouvez dans une situation embarrassante, car vous sentez bien que c'est vrai. Cependant, pour donner le change, vous vous montrez sûr de vous, et vous vous comportez avec autorité en attaquant le premier. Imaginez la scène.

FAIRE LE POINT ✱ ACTE II

Caractères

1. M. Jourdain nous est apparu comme un personnage naïf, autoritaire et poltron ; mais à côté de ces défauts, ne présente-t-il pas des traits qui forcent la sympathie, malgré son ridicule ?

2. Désireux d'imiter les gens de qualité, il est encore loin d'avoir atteint l'idéal de l'honnête homme (☞ p. 23, note 3). Pourquoi tous ses efforts portent-ils si peu de fruits ?

3. Quels sont les points communs entre les maîtres ? Qu'est-ce, au contraire, qui différencie leurs caractères ? Quel sens donnez-vous à leur ordre d'entrée en scène ?

L'art du théâtre

4. Le spectateur sait que M. Jourdain a une belle marquise en tête, mais, pour autant, l'intrigue est-elle nouée ?

5. Bien que les deux premiers actes présentent une série de sketches, comment Molière évite-t-il la monotonie ?

6. Montrez comment l'intensité dramatique (☞ p. 190) monte depuis le début du spectacle jusqu'à l'acte II, sc. 3, pour s'apaiser ensuite.

7. Étudiez la place des intermèdes chantés ou dansés, et montrez qu'ils contribuent à rythmer le spectacle.

Acte III

Scène 1 : Monsieur Jourdain, *et ses deux* Laquais

Monsieur Jourdain. Suivez-moi, que j'aille un peu montrer mon habit par la ville ; et surtout ayez soin tous deux de marcher immédiatement sur mes pas, afin qu'on voie bien que vous êtes à moi.

Laquais. Oui, Monsieur.

Monsieur Jourdain. Appelez-moi Nicole, que je lui donne quelques ordres. Ne bougez, la voilà.

Scène 2 : Nicole, Monsieur Jourdain, Laquais

Monsieur Jourdain. Nicole !

Nicole. Plaît-il[1] ?

Monsieur Jourdain. Écoutez.

Nicole, *rit.* Hi, hi, hi, hi, hi.

Monsieur Jourdain. Qu'as-tu à rire ?

Nicole. Hi, hi, hi, hi, hi, hi.

Monsieur Jourdain. Que veut dire cette coquine-là ?

1 *Plaît-il* : que désirez-vous ?

NICOLE. Hi, hi, hi. Comme vous voilà bâti[1] ! Hi, hi, hi.

MONSIEUR JOURDAIN. Comment donc ?

NICOLE. Ah, ah ! mon Dieu ! Hi, hi, hi, hi, hi.

MONSIEUR JOURDAIN. Quelle friponne est-ce là ! Te moques-tu de moi ?

NICOLE. Nenni[2], Monsieur, j'en serais bien fâchée. Hi, hi, hi, hi, hi, hi.

MONSIEUR JOURDAIN. Je te baillerai[3] sur le nez, si tu ris davantage.

NICOLE. Monsieur, je ne puis pas m'en empêcher. Hi, hi, hi, hi, hi, hi.

MONSIEUR JOURDAIN. Tu ne t'arrêteras pas ?

NICOLE. Monsieur, je vous demande pardon ; mais vous êtes si plaisant, que je ne saurais me tenir de rire. Hi, hi, hi.

MONSIEUR JOURDAIN. Mais voyez quelle insolence !

NICOLE. Vous êtes tout à fait drôle comme cela. Hi, hi.

MONSIEUR JOURDAIN. Je te...

NICOLE. Je vous prie de m'excuser. Hi, hi, hi, hi.

MONSIEUR JOURDAIN. Tiens, si tu ris encore le moins du monde, je te jure que je t'appliquerai sur la joue le plus grand soufflet qui se soit jamais donné.

NICOLE. Hé bien, Monsieur, voilà qui est fait, je ne rirai plus.

MONSIEUR JOURDAIN. Prends-y bien garde. Il faut que pour tantôt[4] tu nettoies...

NICOLE. Hi, hi.

MONSIEUR JOURDAIN. Que tu nettoies comme il faut...

NICOLE. Hi, hi.

MONSIEUR JOURDAIN. Il faut, dis-je, que tu nettoies la salle, et...

1 *Bâti* : déguisé, accoutré.
2 *Nenni* : non (forme ancienne).
3 *Je te baillerai* : je te donnerai des coups.
4 *Tantôt* : tout à l'heure.

NICOLE. Hi, hi.

MONSIEUR JOURDAIN. Encore !

NICOLE. Tenez, Monsieur, battez-moi plutôt et me laissez rire tout mon soûl, cela me fera plus de bien. Hi, hi, hi, hi, hi.

MONSIEUR JOURDAIN. J'enrage.

NICOLE. De grâce, Monsieur, je vous prie de me laisser rire. Hi, hi, hi.

MONSIEUR JOURDAIN. Si je te prends...

NICOLE. Monsieur-eur, je crèverai-ai, si je ne ris. Hi, hi, hi.

MONSIEUR JOURDAIN. Mais a-t-on jamais vu une pendarde comme celle-là ? qui me vient rire insolemment au nez, au lieu de recevoir mes ordres ?

NICOLE. Que voulez-vous que je fasse, Monsieur ?

MONSIEUR JOURDAIN. Que tu songes, coquine, à préparer ma maison pour la compagnie[1] qui doit venir tantôt.

NICOLE. Ah, par ma foi ! je n'ai plus envie de rire ; et toutes vos compagnies font tant de désordre céans[2], que ce mot est assez pour me mettre en mauvaise humeur.

MONSIEUR JOURDAIN. Ne dois-je point pour toi fermer ma porte à tout le monde ?

NICOLE. Vous devriez au moins la fermer à certaines gens.

1 *Compagnie* : groupe d'amis.
2 *Céans* : ici, dans la maison.

SITUER

Alors que M. Jourdain s'apprête à sortir, flanqué de ses deux laquais, il fait appeler sa servante Nicole, qui ne l'a pas encore vu dans son nouvel habit.

OBSERVER

Grammaire : ***Les menaces inutiles***

1. Quel est le mode des verbes employés par M. Jourdain quand il s'adresse à Nicole ? Qu'en déduisez-vous ?

Tons : ***Le renversement***

2. La scène présente deux moments bien distincts ; sur quelle réplique le ton change-t-il ? Comment l'expliquez-vous ?

APPROFONDIR

Société : ***Maîtres et serviteurs***

3. La servante est ici bien familière avec son maître, mais, d'une part, nous sommes au théâtre, et, d'autre part, il est vrai qu'au XVIIe siècle, les serviteurs étaient souvent attachés de père en fils à une famille de maîtres, de sorte que leurs rapports n'étaient pas si distants et impersonnels qu'on l'imagine aujourd'hui. Connaissez-vous d'autres pièces de Molière où les domestiques sont assez libres à l'égard de leur maître ?

Caractères : ***L'autorité bafouée***

4. Pourquoi M. Jourdain se fâche-t-il contre Nicole ? Commentez la façon dont il s'adresse à ses laquais, puis à sa servante. A-t-il autant d'autorité sur elle que sur ses laquais ? Justifiez votre réponse.

5. Comment l'aplomb de Nicole se manifeste-t-il ?

6. Citez les répliques qui montrent son bon sens et sa sincérité.

ÉCRIRE

7. Nicole rencontre Covielle, son futur époux, et lui décrit l'accoutrement ridicule de M. Jourdain. Imaginez ce dialogue, sans doute hâché à nouveau par son fou rire.

Scène 3 : MADAME JOURDAIN, MONSIEUR JOURDAIN, NICOLE, LAQUAIS

MADAME JOURDAIN. Ah, ah ! voici une nouvelle histoire. Qu'est-ce que c'est donc, mon mari, que cet équipage-là[1] ? Vous moquez-vous du monde, de vous être fait enharnacher[2] de la sorte ? et avez-vous envie qu'on se raille[3] partout de vous ?

MONSIEUR JOURDAIN. Il n'y a que des sots et des sottes, ma femme, qui se railleront de moi.

MADAME JOURDAIN. Vraiment on n'a pas attendu jusqu'à cette heure, et il y a longtemps que vos façons de faire donnent à rire à tout le monde.

MONSIEUR JOURDAIN. Qui est donc tout ce monde-là, s'il vous plaît ?

MADAME JOURDAIN. Tout ce monde-là est un monde qui a raison, et qui est plus sage que vous. Pour moi, je suis scandalisée de la vie que vous menez. Je ne sais plus ce que c'est que notre maison : on dirait qu'il est céans[4] carême-prenant[5] tous les jours ; et dès le matin, de peur d'y manquer[6], on y entend des vacarmes de violons et de chanteurs, dont tout le voisinage se trouve incommodé.

NICOLE. Madame parle bien. Je ne saurais plus voir mon ménage propre, avec cet attirail de gens que vous faites venir chez vous. Ils ont des pieds qui vont chercher de la boue dans tous les quartiers de la ville, pour l'apporter ici ; et la pauvre Françoise est presque sur les dents, à frotter les planchers que vos biaux[7] maîtres viennent crotter régulièrement tous les jours.

1 *Équipage* : habit.
2 *Enharnacher* : accoutrer, habiller de façon ridicule.
3 *Se railler de* : se moquer de.
4 *Qu'il est céans* : qu'on est ici.
5 *Carême-prenant* : début du Carême, jour du Mardi gras durant lequel on se déguise.
6 *De peur d'y manquer* : de peur de ne pas satisfaire à la tâche.
7 *Biaux* : beaux (patois). Voir plus loin *« carriaux »* = carreaux.

MONSIEUR JOURDAIN. Ouais[1], notre servante Nicole, vous avez le caquet bien affilé[2] pour une paysanne.

MADAME JOURDAIN. Nicole a raison, et son sens[3] est meilleur que le vôtre. Je voudrais bien savoir ce que vous pensez faire d'un maître à danser à l'âge que vous avez.

NICOLE. Et d'un grand maître tireur d'armes, qui vient, avec ses battements de pied, ébranler toute la maison, et nous déraciner tous les carriaux de notre salle ?

MONSIEUR JOURDAIN. Taisez-vous, ma servante, et ma femme.

MADAME JOURDAIN. Est-ce que vous voulez apprendre à danser pour quand vous n'aurez plus de jambes ?

NICOLE. Est-ce que vous avez envie de tuer quelqu'un ?

MONSIEUR JOURDAIN. Taisez-vous, vous dis-je : vous êtes des ignorantes l'une et l'autre, et vous ne savez pas les prérogatives[4] de tout cela.

MADAME JOURDAIN. Vous devriez bien plutôt songer à marier votre fille, qui est en âge d'être pourvue[5].

MONSIEUR JOURDAIN. Je songerai à marier ma fille quand il se présentera un parti pour elle ; mais je veux songer aussi à apprendre les belles choses.

NICOLE. J'ai encore ouï dire, Madame, qu'il a pris aujourd'hui, pour renfort de potage[6], un maître de philosophie.

MONSIEUR JOURDAIN. Fort bien : je veux avoir de l'esprit, et savoir raisonner des choses parmi les honnêtes gens.

MADAME JOURDAIN. N'irez-vous point l'un de ces jours au collège vous faire donner le fouet, à votre âge ?

1 *Ouais* marque la surprise, mais n'est pas vulgaire au XVIIe siècle.
2 *Caquet bien affilé* : langue bien pendue.
3 *Sens* : jugement, bon sens.
4 *Prérogative* : « privilège, avantage qu'une personne a sur une autre ». (Dict. de Furetière, 1690.) M. Jourdain fait sans doute allusion aux avantages que lui confèrent l'instruction et la culture.
5 *Pourvue* : mariée.
6 *Pour renfort de potage* : pour corser le menu, pour couronner le tout.

MONSIEUR JOURDAIN. Pourquoi non ? Plût à Dieu l'avoir tout à l'heure[1], le fouet, devant tout le monde, et savoir ce qu'on apprend au collège !

NICOLE. Oui, ma foi ! Cela vous rendrait la jambe bien mieux faite[2].

MONSIEUR JOURDAIN. Sans doute[3].

MADAME JOURDAIN. Tout cela est fort nécessaire pour conduire votre maison.

MONSIEUR JOURDAIN. Assurément. Vous parlez toutes deux comme des bêtes, et j'ai honte de votre ignorance. Par exemple, savez-vous, vous, ce que c'est que vous dites à cette heure[4] ?

MADAME JOURDAIN. Oui, je sais que ce que je dis est fort bien dit, et que vous devriez songer à vivre d'autre sorte.

MONSIEUR JOURDAIN. Je ne parle pas de cela. Je vous demande ce que c'est que les paroles que vous dites ici ?

MADAME JOURDAIN. Ce sont des paroles bien sensées, et votre conduite ne l'est guère.

MONSIEUR JOURDAIN. Je ne parle pas de cela, vous dis-je. Je vous demande : ce que je parle avec vous, ce que je vous dis à cette heure, qu'est-ce que c'est ?

MADAME JOURDAIN. Des chansons.

MONSIEUR JOURDAIN. Hé non ! ce n'est pas cela. Ce que nous disons tous deux, le langage que nous parlons à cette heure ?

MADAME JOURDAIN. Hé bien ?

MONSIEUR JOURDAIN. Comment est-ce que cela s'appelle ?

MADAME JOURDAIN. Cela s'appelle comme on veut l'appeler.

MONSIEUR JOURDAIN. C'est de la prose, ignorante.

MADAME JOURDAIN. De la prose ?

1 *Tout à l'heure* : tout de suite.
2 *Cela vous rendrait...* : cela vous ferait une belle jambe.
3 *Sans doute* : sans aucun doute.
4 Cette dernière phrase est adressée à Mme Jourdain.

MONSIEUR JOURDAIN. Oui, de la prose. Tout ce qui est prose, n'est point vers ; et tout ce qui n'est point vers, n'est point prose. Heu, voilà ce que c'est d'étudier. Et toi, sais-tu bien comme il faut faire pour dire un U[1] ?

NICOLE. Comment ?

MONSIEUR JOURDAIN. Oui. Qu'est-ce que tu fais quand tu dis un U ?

NICOLE. Quoi ?

MONSIEUR JOURDAIN. Dis un peu, U, pour voir ?

NICOLE. Hé bien, U.

MONSIEUR JOURDAIN. Qu'est-ce que tu fais ?

NICOLE. Je dis U.

MONSIEUR JOURDAIN. Oui ; mais quand tu dis U, qu'est-ce que tu fais ?

NICOLE. Je fais ce que vous me dites.

MONSIEUR JOURDAIN. Ô l'étrange chose que d'avoir affaire à des bêtes ! Tu allonges les lèvres en dehors, et approches la mâchoire d'en haut de celle d'en bas : U, vois-tu ? U, vois-tu ? Je fais la moue : U.

NICOLE. Oui, cela est biau.

MADAME JOURDAIN. Voilà qui est admirable.

MONSIEUR JOURDAIN. C'est bien autre chose, si vous aviez vu O, et DA, DA, et FA, FA.

MADAME JOURDAIN. Qu'est-ce que c'est donc que tout ce galimatias-là[2] ?

NICOLE. De quoi est-ce que tout cela guérit ?

MONSIEUR JOURDAIN. J'enrage quand je vois des femmes ignorantes.

MADAME JOURDAIN. Allez, vous devriez envoyer promener tous ces gens-là, avec leurs fariboles.

1 Cette dernière phrase est adressée à Nicole.
2 *Galimatias* : propos incompréhensible.

NICOLE. Et surtout ce grand escogriffe[1] de maître d'armes, qui remplit de poudre[2] tout mon ménage.

MONSIEUR JOURDAIN. Ouais, ce maître d'armes vous tient bien au cœur. Je te veux faire voir ton impertinence tout à l'heure. *(Il fait apporter les fleurets, et en donne un à Nicole.)* Tiens. Raison démonstrative, la ligne du corps. Quand on pousse en quarte, on n'a qu'à faire cela, et quand on pousse en tierce, on n'a qu'à faire cela. Voilà le moyen de n'être jamais tué ; et cela n'est-il pas beau, d'être assuré de son fait, quand on se bat contre quelqu'un ? Là, pousse-moi un peu pour voir.

NICOLE. Hé bien, quoi ?

Nicole lui pousse plusieurs coups.

MONSIEUR JOURDAIN. Tout beau, holà, oh ! doucement. Diantre soit la coquine !

NICOLE. Vous me dites de pousser.

MONSIEUR JOURDAIN. Oui ; mais tu me pousses en tierce, avant que de pousser en quarte, et tu n'as pas la patience que je pare.

MADAME JOURDAIN. Vous êtes fou, mon mari, avec toutes vos fantaisies, et cela vous est venu depuis que vous vous mêlez de hanter[3] la noblesse.

MONSIEUR JOURDAIN. Lorsque je hante la noblesse, je fais paraître mon jugement, et cela est plus beau que de hanter votre bourgeoisie.

MADAME JOURDAIN. Çamon[4] vraiment ! il y a fort à gagner à fréquenter vos nobles , et vous avez bien opéré[5] avec ce beau Monsieur le comte dont vous vous êtes embéguiné[6].

MONSIEUR JOURDAIN. Paix ! Songez à ce que vous dites. Savez-vous bien, ma femme, que vous ne savez pas de qui vous par-

1 *Escogriffe* : homme grand et mal bâti.
2 *Poudre* : poussière.
3 *Hanter* : fréquenter de manière habituelle.
4 *Çamon* : oui, c'est sûr (interjection populaire).
5 *Vous avez bien opéré* : vous avez fait une bonne affaire, vous avez bien réussi.
6 *Dont vous vous êtes embéguiné* : pour lequel vous vous êtes pris subitement d'amitié, de passion.

lez, quand vous parlez de lui ? C'est une personne d'importance plus que vous ne pensez, un seigneur que l'on considère à la cour, et qui parle au Roi tout comme je vous parle. N'est-ce pas une chose qui m'est tout à fait honorable, que l'on voie venir chez moi si souvent une personne de cette qualité, qui m'appelle son cher ami, et me traite comme si j'étais son égal ? Il a pour moi des bontés qu'on ne devinerait jamais ; et, devant tout le monde, il me fait des caresses[1] dont je suis moi-même confus.

MADAME JOURDAIN. Oui, il a des bontés pour vous, et vous fait des caresses ; mais il vous emprunte votre argent.

MONSIEUR JOURDAIN. Hé bien ! ne m'est-ce pas de l'honneur, de prêter de l'argent à un homme de cette condition-là ? et puis-je faire moins pour un seigneur qui m'appelle son cher ami ?

MADAME JOURDAIN. Et ce seigneur que fait-il pour vous ?

MONSIEUR JOURDAIN. Des choses dont on serait étonné, si on les savait.

MADAME JOURDAIN. Et quoi ?

MONSIEUR JOURDAIN. Baste[2], je ne puis pas m'expliquer. Il suffit que si je lui ai prêté de l'argent, il me le rendra bien, et avant qu'il soit peu.

MADAME JOURDAIN. Oui, attendez-vous à cela.

MONSIEUR JOURDAIN. Assurément : ne me l'a-t-il pas dit ?

MADAME JOURDAIN. Oui, oui : il ne manquera pas d'y faillir[3].

MONSIEUR JOURDAIN. Il m'a juré sa foi de gentilhomme.

MADAME JOURDAIN. Chansons.

MONSIEUR JOURDAIN. Ouais, vous êtes bien obstinée, ma femme. Je vous dis qu'il me tiendra parole, j'en suis sûr.

MADAME JOURDAIN. Et moi, je suis sûre que non, et que toutes les caresses qu'il vous fait ne sont que pour vous enjôler.

1 *Caresses* : flatteries, « démonstrations d'amitié ou de bienveillance ». (Dict. de Furetière, 1690.)
2 *Baste* : ça suffit (de l'italien *basta*).
3 *D'y faillir* : de se dérober.

SITUER

Nous découvrons progressivement la famille du héros, avec l'entrée de Mme Jourdain, qui se montre résolument hostile aux lubies de son mari.

OBSERVER

Vocabulaire et grammaire : ***La maîtresse et la servante***

1. Relevez, dans les répliques de Mme Jourdain, le vocabulaire et les signes de ponctuation qui traduisent son irritation.

2. Quelles expressions populaires la servante emploie-t-elle ?

La phrase et le dialogue : ***La résistance s'organise***

3. Comment Molière souligne-t-il, au début de certaines répliques, l'alliance existant entre la maîtresse et sa servante ?

APPROFONDIR

Caractères : ***M. Jourdain incompris***

4. M. Jourdain n'est pas aussi rayonnant au milieu de sa famille qu'avec les gens de qualité ou ses maîtres ; montrez qu'il ressent une sorte de lassitude agacée. Cette scène n'éclaire-t-elle pas d'une lumière nouvelle son attitude à l'acte I ?

5. Ne prononce-t-il pas, malgré son ridicule, quelques répliques qui forcent la sympathie ? Citez-les.

6. Voyez-vous Mme Jourdain comme une femme équilibrée et de bon sens, ou comme un esprit prosaïque et terre à terre ? Justifiez votre réponse.

Tons : ***Comique de mots, de gestes, de situation***

7. Comment M. Jourdain s'y prend-il pour éblouir les siens et les rabaisser ? Pourquoi n'y réussit-il pas ?

8. Comment explique-t-il son impuissance au fleuret devant Nicole ? Pourquoi est-ce comique et en quoi ressemble-t-il ici à son maître d'armes ?

L'art du théâtre : ***L'action s'engage***

9. L'intrigue commence à se nouer : Mme Jourdain fait allusion au mariage de sa fille, et il est à nouveau question (☞ I, 1, l. 51) d'un *« beau Monsieur le Comte »* (l. 133) dont chacun se fait une image différente ; dressez la liste de ses qualités et de ses défauts.

MONSIEUR JOURDAIN. Taisez-vous : le voici.

MADAME JOURDAIN. Il ne nous faut plus que cela. Il vient peut-être encore vous faire quelque emprunt ; et il me semble que j'ai dîné quand je le vois[1].

MONSIEUR JOURDAIN. Taisez-vous, vous dis-je.

Scène 4 : DORANTE, MONSIEUR JOURDAIN, MADAME JOURDAIN, NICOLE

DORANTE. Mon cher ami, Monsieur Jourdain[2], comment vous portez-vous ?

MONSIEUR JOURDAIN. Fort bien, Monsieur, pour vous rendre mes petits services.

DORANTE. Et Madame Jourdain que voilà, comment se porte-t-elle ?

MADAME JOURDAIN. Madame Jourdain se porte comme elle peut.

DORANTE. Comment, Monsieur Jourdain ? vous voilà le plus propre[3] du monde !

MONSIEUR JOURDAIN. Vous voyez.

DORANTE. Vous avez tout à fait bon air avec cet habit, et nous n'avons point de jeunes gens à la cour qui soient mieux faits que vous.

MONSIEUR JOURDAIN. Hay, hay.

MADAME JOURDAIN. Il le gratte par où il se démange[4].

1 « On dit quand on voit quelque chose qui déplaît : il me semble que j'ai dîné ». (Dict. de Furetière, 1690.) On dirait aujourd'hui : *ça me coupe l'appétit.*

2 En appelant M. Jourdain par son nom, Dorante « le remet à sa place » et le traite comme un inférieur.

3 *Propre* : élégant.

4 « On dit proverbialement que l'*on gratte un homme où il lui démange* pour dire qu'on fait ou qu'on dit quelque chose qui lui plaît et à quoi il est extrêmement sensible ». (Dict. de l'Académie, 1694.)

DORANTE. Tournez-vous. Cela est tout à fait galant.

MADAME JOURDAIN. Oui, aussi sot par derrière que par devant[1].

DORANTE. Ma foi ! Monsieur Jourdain, j'avais une impatience étrange[2] de vous voir. Vous êtes l'homme du monde que j'estime le plus, et je parlais de vous encore ce matin dans la chambre du Roi.

MONSIEUR JOURDAIN. Vous me faites beaucoup d'honneur, Monsieur. *(À Madame Jourdain.)* Dans la chambre du Roi !

DORANTE. Allons, mettez[3]...

MONSIEUR JOURDAIN. Monsieur, je sais le respect que je vous dois.

DORANTE. Mon Dieu ! mettez : point de cérémonie entre nous, je vous prie.

MONSIEUR JOURDAIN. Monsieur...

DORANTE. Mettez, vous dis-je, Monsieur Jourdain : vous êtes mon ami.

MONSIEUR JOURDAIN. Monsieur, je suis votre serviteur.

DORANTE. Je ne me couvrirai point, si vous ne vous couvrez.

MONSIEUR JOURDAIN. J'aime mieux être incivil qu'importun[4].

DORANTE. Je suis votre débiteur[5], comme vous le savez.

MADAME JOURDAIN. Oui, nous ne le savons que trop[6].

DORANTE. Vous m'avez généreusement prêté de l'argent en plusieurs occasions, et m'avez obligé de la meilleure grâce du monde, assurément.

MONSIEUR JOURDAIN. Monsieur, vous vous moquez.

DORANTE. Mais je sais rendre ce qu'on me prête, et reconnaître les plaisirs qu'on me fait.

---

1 Mme Jourdain dit cette phrase en aparté. ☞ p. 190.
2 *Étrange* : surprenante, très forte.
3 *Mettez* : mettez votre chapeau, couvrez-vous.
4 Formule traditionnelle et banale de politesse bourgeoise qui signifie : « j'aime mieux être impoli qu'agaçant. » M. Jourdain dit cela en remettant son chapeau.
5 *Débiteur* : celui qui doit de l'argent.
6 Mme Jourdain dit cette phrase en aparté.

MONSIEUR JOURDAIN. Je n'en doute point, Monsieur.

DORANTE. Je veux sortir d'affaire avec vous, et je viens ici pour faire nos comptes ensemble.

MONSIEUR JOURDAIN. Hé bien ! vous voyez votre impertinence, ma femme[1].

DORANTE. Je suis homme qui aime à m'acquitter[2] le plus tôt que je puis.

MONSIEUR JOURDAIN. Je vous le disais bien.

DORANTE. Voyons un peu ce que je vous dois.

MONSIEUR JOURDAIN. Vous voilà, avec vos soupçons ridicules.

DORANTE. Vous souvenez-vous bien de tout l'argent que vous m'avez prêté ?

MONSIEUR JOURDAIN. Je crois que oui. J'en ai fait un petit mémoire. Le voici. Donné à vous une fois deux cents louis[3].

DORANTE. Cela est vrai.

MONSIEUR JOURDAIN. Une autre fois, six-vingts[4].

DORANTE. Oui.

MONSIEUR JOURDAIN. Et une autre fois, cent quarante.

DORANTE. Vous avez raison.

MONSIEUR JOURDAIN. Ces trois articles font quatre cent soixante louis, qui valent cinq mille soixante livres.

DORANTE. Le compte est fort bon. Cinq mille soixante livres.

MONSIEUR JOURDAIN. Mille huit cent trente-deux livres à votre plumassier[5].

DORANTE. Justement.

1 Dans cette réplique, ainsi que dans les deux suivantes, M. Jourdain s'adresse à sa femme en aparté.
2 *M'acquitter* : régler mes dettes.
3 *Louis* : pièce d'or valant onze livres, ou vingt sols.
4 *Six-vingts* : cent vingt (six fois vingt). Penser à notre quatre-vingts actuel (quatre fois vingt).
5 *Plumassier* : « marchand qui vend et qui prépare les plumes pour mettre sur les chapeaux, les lits et les dais ». (Dict. de Furetière, 1690.)

MONSIEUR JOURDAIN. Deux mille sept cent quatre-vingts livres à votre tailleur.

DORANTE. Il est vrai.

MONSIEUR JOURDAIN. Quatre mille trois cent septante-neuf livres douze sols huit deniers[1] à votre marchand[2].

DORANTE. Fort bien. Douze sols huit deniers : le compte est juste.

MONSIEUR JOURDAIN. Et mille sept cent quarante-huit livres sept sols quatre deniers à votre sellier[3].

DORANTE. Tout cela est véritable. Qu'est-ce que cela fait ?

MONSIEUR JOURDAIN. Somme totale, quinze mille huit cents livres.

DORANTE. Somme totale est juste : quinze mille huit cents livres. Mettez encore deux cents pistoles[4] que vous m'allez donner, cela fera justement dix-huit mille francs, que je vous payerai au premier jour.

MADAME JOURDAIN. Hé bien ! ne l'avais-je pas bien deviné[5] ?

MONSIEUR JOURDAIN. Paix !

DORANTE. Cela vous incommodera-t-il, de me donner ce que je vous dis ?

MONSIEUR JOURDAIN. Eh non !

MADAME JOURDAIN. Cet homme-là fait de vous une vache à lait.

MONSIEUR JOURDAIN. Taisez-vous.

DORANTE. Si cela vous incommode, j'en irai chercher ailleurs.

MONSIEUR JOURDAIN. Non, Monsieur.

MADAME JOURDAIN. Il ne sera pas content, qu'il ne vous ait ruiné.

MONSIEUR JOURDAIN. Taisez-vous, vous dis-je.

DORANTE. Vous n'avez qu'à me dire si cela vous embarrasse.

---

1 *Denier* : le douzième du *sol* (ou *sou*).
2 Au XVIIe s., les grands seigneurs choisissaient un marchand unique, qui leur fournissait tout ce qui était nécessaire à leur maison.
3 *Sellier* : artisan qui travaille le cuir, pour les selles notamment.
4 *Pistole* : monnaie d'or valant également onze livres.
5 Mme Jourdain parle à son mari en aparté, pendant tout le passage qui suit, et il lui répond de même.

MONSIEUR JOURDAIN. Point, Monsieur.

MADAME JOURDAIN. C'est un vrai enjôleux[1].

MONSIEUR JOURDAIN. Taisez-vous donc.

MADAME JOURDAIN. Il vous sucera jusqu'au dernier sou.

MONSIEUR JOURDAIN. Vous tairez-vous ?

DORANTE. J'ai force gens[2] qui m'en prêteraient avec joie ; mais comme vous êtes mon meilleur ami, j'ai cru que je vous ferais tort si j'en demandais à quelque autre.

MONSIEUR JOURDAIN. C'est trop d'honneur, Monsieur, que vous me faites. Je vais quérir[3] votre affaire.

MADAME JOURDAIN. Quoi ? vous allez encore lui donner cela ?

MONSIEUR JOURDAIN. Que faire ? voulez-vous que je refuse un homme de cette condition-là, qui a parlé de moi ce matin dans la chambre du Roi ?

MADAME JOURDAIN. Allez, vous êtes une vraie dupe.

Scène 5 : DORANTE. MADAME JOURDAIN, NICOLE

DORANTE. Vous me semblez toute mélancolique[4] : qu'avez-vous, Madame Jourdain ?

MADAME JOURDAIN. J'ai la tête plus grosse que le poing, et si[5] elle n'est pas enflée.

DORANTE. Mademoiselle votre fille, où est-elle, que je ne la vois point ?

MADAME JOURDAIN. Mademoiselle ma fille est bien où elle est.

DORANTE. Comment se porte-t-elle ?

1 *Enjôleux* : enjôleur, trompeur.
2 *Force gens* : de nombreuses personnes.
3 *Quérir* : chercher.
4 *Mélancolique* : d'humeur sombre, ici.
5 *Et si* : et pourtant (forme populaire).

SITUER

Dorante, l'« ami » noble de M. Jourdain, paraît enfin, sous l'œil attendri du maître de maison et les regards soupçonneux de son épouse.

OBSERVER

Style : ***Le courtisan***

1. Recherchez les hyperboles (☞ p. 190) que Dorante utilise dans la flatterie.

Tons : ***Le contraste comique***

2. Relevez les marques de contentement de M. Jourdain. À quoi est-il surtout sensible ?

3. Relevez et classez les différents indices (vocabulaire, tournures, ponctuation, apartés) qui trahissent la rudesse de ton de Mme Jourdain.

APPROFONDIR

Société : ***La noblesse décadente***

4. S'il est vrai que Dorante a accès à la chambre du roi, c'est qu'il est un très grand seigneur du royaume, apparemment endetté comme l'étaient effectivement la plupart des nobles. (☞ p. 167.) Recherchez dans une autre pièce de Molière, *George Dandin*, une scène montrant des nobles peu sympathiques. Pour quelle raison le sont-ils ?

Stratégies : ***L'habile parasite***

5. Combien de répliques Dorante prononce-t-il entre le moment où il annonce qu'il va rembourser M. Jourdain et celui où il lui demande un nouveau prêt ? Pourquoi est-ce si long ?

L'art du théâtre : ***Une scène tendue***

6. Quel est le personnage qui crée la tension dramatique dans la scène 4 ? Y a-t-il vraiment une conversation à trois ? Justifiez votre réponse.

7. Quelles sont, dans les deux scènes, les différentes sortes d'effets comiques ? Relevez-les et classez-les.

Mise en scène : ***Le jeu des acteurs***

8. Si vous étiez metteur en scène, comment disposeriez-vous les acteurs sur le plateau pour que les apartés (☞ p. 190) qu'ils prononcent soient vraisemblables ?

MADAME JOURDAIN. Elle se porte sur ses deux jambes.

DORANTE. Ne voulez-vous point un de ces jours venir voir, avec elle, le ballet et la comédie que l'on fait[1] chez le Roi ?

MADAME JOURDAIN. Oui vraiment, nous avons fort envie de rire, fort envie de rire nous avons.

DORANTE. Je pense, Madame Jourdain, que vous avez eu bien des amants[2] dans votre jeune âge, belle et d'agréable humeur comme vous étiez.

MADAME JOURDAIN. Trédame[3], Monsieur, est-ce que Madame Jourdain est décrépite[4], et la tête lui grouille-t-elle[5] déjà ?

DORANTE. Ah, ma foi ! Madame Jourdain, je vous demande pardon. Je ne songeais pas que vous êtes jeune, et je rêve[6] le plus souvent. Je vous prie d'excuser mon impertinence.

Scène 6 : MONSIEUR JOURDAIN, MADAME JOURDAIN, DORANTE, NICOLE

MONSIEUR JOURDAIN. Voilà deux cents louis bien comptés.

DORANTE. Je vous assure, Monsieur Jourdain, que je suis tout à vous, et que je brûle de vous rendre un service à la cour.

MONSIEUR JOURDAIN. Je vous suis trop obligé.

DORANTE. Si Madame Jourdain veut voir le divertissement[7] royal, je lui ferai donner les meilleures places de la salle.

MADAME JOURDAIN. Madame Jourdain vous baise les mains[8].

1 *Fait* : joue.
2 *Amants* : amoureux, soupirants.
3 *Trédame* : abréviation de « Notre Dame » (exclamation populaire).
4 *Décrépite* : vieille, usée.
5 *Grouiller* : branler, trembler.
6 *Je rêve* : je suis distrait.
7 *Divertissement royal* : spectacle avec musique et ballets donné à la cour.
8 Formule de refus très froide, en raison de l'emploi de la troisième personne.

DORANTE, *bas à M. Jourdain.* Notre belle marquise, comme je vous ai mandé[1] par mon billet, viendra tantôt ici pour le ballet et le repas ; je l'ai fait consentir enfin au cadeau[2] que vous lui voulez donner.

MONSIEUR JOURDAIN. Tirons-nous[3] un peu plus loin, pour cause[4].

DORANTE. Il y a huit jours que je ne vous ai vu, et je ne vous ai point mandé de nouvelles du diamant que vous me mîtes entre les mains pour lui en faire présent de votre part ; mais c'est que j'ai eu toutes les peines du monde à vaincre son scrupule, et ce n'est que d'aujourd'hui qu'elle s'est résolue à l'accepter.

MONSIEUR JOURDAIN. Comment l'a-t-elle trouvé ?

DORANTE. Merveilleux ; et je me trompe fort, ou la beauté de ce diamant fera pour vous sur son esprit un effet admirable.

MONSIEUR JOURDAIN. Plût au Ciel !

MADAME JOURDAIN. Quand il est une fois avec lui, il ne peut le quitter[5].

DORANTE. Je lui ai fait valoir comme il faut la richesse de ce présent et la grandeur de votre amour.

MONSIEUR JOURDAIN. Ce sont, Monsieur, des bontés qui m'accablent ; et je suis dans une confusion la plus grande du monde, de voir une personne de votre qualité s'abaisser pour moi à ce que vous faites.

DORANTE. Vous moquez-vous ? est-ce qu'entre amis on s'arrête à ces sortes de scrupules ? et ne feriez-vous pas pour moi la même chose, si l'occasion s'en offrait ?

MONSIEUR JOURDAIN. Ho ! assurément, et de très grand cœur.

MADAME JOURDAIN. Que sa présence me pèse sur les épaules[6] !

1 *Je vous ai mandé* : je vous en ai informé.
2 *Cadeau* : repas que l'on offre à une dame hors de chez soi, en général à la campagne.
3 *Tirons-nous* : retirons-nous (la formule est très correcte au XVIIe s.).
4 *Pour cause* : à cause de la présence de mon épouse et de Nicole.
5 Mme Jourdain et Nicole se parlent à l'écart.
6 « On dit d'un importun qu'on l'a toujours sur les épaules ». (Dict. de Furetière, 1690.)

Dominique Valadié (NICOLE) et Françoise Seigner (MADAME JOURDAIN) dans la mise en scène de Jean-Luc Boutté, Comédie-Française, 1986.

DORANTE. Pour moi, je ne regarde rien, quand il faut servir un ami ; et lorsque vous me fîtes confidence de l'ardeur que vous aviez prise pour cette marquise agréable chez qui j'avais commerce[1], vous vîtes que d'abord je m'offris de moi-même à servir votre amour.

MONSIEUR JOURDAIN. Il est vrai, ce sont des bontés qui me confondent.

MADAME JOURDAIN. Est-ce qu'il ne s'en ira point ?

NICOLE. Ils se trouvent bien ensemble.

DORANTE. Vous avez pris le bon biais[2] pour toucher son cœur : les femmes aiment surtout les dépenses qu'on fait pour elles ; et vos fréquentes sérénades, et vos bouquets continuels, ce superbe feu d'artifice qu'elle trouva sur l'eau, le diamant qu'elle a reçu de votre part, et le cadeau que vous lui préparez, tout cela lui parle bien mieux en faveur de votre amour que toutes les paroles que vous auriez pu lui dire vous-même.

MONSIEUR JOURDAIN. Il n'y a point de dépenses que je ne fisse[3], si par là je pouvais trouver le chemin de son cœur. Une femme de qualité a pour moi des charmes ravissants, et c'est un honneur que j'achèterais au prix de toute chose.

MADAME JOURDAIN. Que peuvent-ils tant dire ensemble ? Va-t'en un peu tout doucement prêter l'oreille.

DORANTE. Ce sera tantôt[4] que vous jouirez à votre aise du plaisir de sa vue, et vos yeux auront tout le temps de se satisfaire.

MONSIEUR JOURDAIN. Pour être en pleine liberté, j'ai fait en sorte que ma femme ira dîner chez ma sœur, où elle passera toute l'après-dînée.

DORANTE. Vous avez fait prudemment, et votre femme aurait pu nous embarrasser. J'ai donné pour vous l'ordre qu'il faut au cuisinier, et à[5] toutes les choses qui sont nécessaires pour le

1 *Avoir commerce* : être en relation.
2 *Biais* : moyen.
3 *Que je ne fisse* : que je ne ferais.
4 *Tantôt* : bientôt.
5 *À toutes les choses* : pour toutes les choses.

SITUER

M. Jourdain revient avec l'argent que Dorante a réussi à lui soutirer. Mais les deux hommes ont un autre sujet d'intérêt...

OBSERVER

Vocabulaire : ***L'hypocrite***

1. Quels sont, dans les premières répliques de Dorante, les mots et expressions qui doivent plus particulièrement toucher M. Jourdain ?

2. Quelles expressions laissent penser que Dorante agit pour son propre compte, et non en faveur de M. Jourdain, avec la marquise ?

APPROFONDIR

Caractères : ***Chassez le naturel...***

3. Montrez que M. Jourdain, malgré ses tentatives pour s'élever, reste toujours un marchand.

4. Pourquoi l'idée que Dorante pourrait le tromper et profiter de lui ne l'effleure-t-elle pas ?

5. Est-il sensible à la personne de Dorimène ou à sa qualité de marquise ? Justifiez votre réponse.

Stratégies : ***Le soupirant***

6. Comment M. Jourdain s'y prend-il pour séduire la marquise ? Qu'en pensez-vous ? Cette méthode spectaculaire s'explique-t-elle, selon vous, par sa générosité naturelle, par son amour, ou par quelque chose d'autre qui le pousse à en « faire trop » ?

L'art du théâtre : ***L'intrigue se noue***

7. Comment Molière fournit-il aux spectateurs des informations sur les démarches galantes de M. Jourdain ?

8. Pourquoi est-il nécessaire que Nicole et Mme Jourdain restent sur la scène ?

Mise en scène : ***L'acteur et le photographe***

9. Au théâtre, les attitudes et les mimiques des acteurs en disent long sur le caractère des personnages : décrivez celles de Mme Jourdain et de Nicole dans la mise en scène de J.-L. Boutté (photo p. 82). Comparez l'attitude de Nicole avec celle qu'elle adopte sur la photo de la p. 9.

10. Que signifie symboliquement le fait que la porte soit seulement entrouverte ? Observez le cadrage de la photo : comment l'interprétez-vous ?

ballet. Il est de mon invention ; et pourvu que l'exécution puisse répondre à l'idée, je suis sûr qu'il sera trouvé...

MONSIEUR JOURDAIN *s'aperçoit que Nicole écoute, et lui donne un soufflet.* Ouais, vous êtes bien impertinente. Sortons, s'il vous plaît[1].

Scène 7 : MADAME JOURDAIN, NICOLE

NICOLE. Ma foi ! Madame, la curiosité m'a coûté quelque chose ; mais je crois qu'il y a quelque anguille sous roche, et ils parlent de quelque affaire où ils ne veulent pas que vous soyez.

MADAME JOURDAIN. Ce n'est pas d'aujourd'hui, Nicole, que j'ai conçu des soupçons de mon mari. Je suis la plus trompée du monde, ou il y a quelque amour en campagne[2], et je travaille à découvrir ce que ce peut être. Mais songeons à ma fille. Tu sais l'amour que Cléonte a pour elle. C'est un homme qui me revient, et je veux aider sa recherche[3], et lui donner Lucile, si je puis.

NICOLE. En vérité, Madame, je suis la plus ravie du monde de vous voir dans ces sentiments ; car, si le maître vous revient, le valet ne me revient pas moins, et je souhaiterais que notre mariage se pût faire à l'ombre du leur.

MADAME JOURDAIN. Va-t'en lui en parler de ma part, et lui dire que tout à l'heure il me vienne trouver, pour faire ensemble à mon mari la demande de ma fille.

NICOLE. J'y cours, Madame, avec joie, et je ne pouvais recevoir une commission plus agréable. Je vais, je pense, bien réjouir les gens.

1 Cette dernière phrase est adressée à Dorante.
2 *En campagne* : en train.
3 *Recherche* : cour qu'on fait à une femme.

Scène 8 : CLÉONTE, COVIELLE, NICOLE

NICOLE. Ah ! vous voilà tout à propos. Je suis une ambassadrice de joie, et je viens...

CLÉONTE. Retire-toi, perfide, et ne me viens point amuser avec tes traîtresses paroles.

NICOLE. Est-ce ainsi que vous recevez... ?

CLÉONTE. Retire-toi, te dis-je, et va-t'en dire de ce pas à ton infidèle maîtresse qu'elle n'abusera de sa vie le trop simple Cléonte.

NICOLE. Quel vertigo[1] est-ce donc là ? Mon pauvre Covielle, dis-moi un peu ce que cela veut dire.

COVIELLE. Ton pauvre Covielle, petite scélérate ! Allons vite, ôte-toi de mes yeux, vilaine, et me laisse en repos.

NICOLE. Quoi ? tu me viens aussi...

COVIELLE. Ôte-toi de mes yeux, te dis-je, et ne me parle de ta vie.

NICOLE. Ouais[2] ! Quelle mouche les a piqués tous deux ? Allons de cette belle histoire informer ma maîtresse.

1 *Vertigo* : caprice soudain.

2 *Ouais* marque la surprise, mais n'est pas vulgaire au XVIIe s. Nicole se parle ici à elle-même.

Scène 9 : CLÉONTE, COVIELLE

CLÉONTE. Quoi ? traiter un amant[1] de la sorte, et un amant le plus fidèle et le plus passionné de tous les amants ?

COVIELLE. C'est une chose épouvantable, que ce qu'on nous fait à tous deux.

CLÉONTE. Je fais voir pour une personne toute l'ardeur et toute la tendresse qu'on peut imaginer ; je n'aime rien au monde qu'elle, et je n'ai qu'elle dans l'esprit ; elle fait tous mes soins, tous mes désirs, toute ma joie ; je ne parle que d'elle, je ne pense qu'à elle, je ne fais des songes que d'elle, je ne respire que par elle, mon cœur vit tout en elle : et voilà de tant d'amitié[2] la digne récompense ! Je suis deux jours sans la voir, qui sont pour moi deux siècles effroyables : je la rencontre par hasard ; mon cœur, à cette vue, se sent tout transporté, ma joie éclate sur mon visage, je vole avec ravissement vers elle ; et l'infidèle détourne de moi ses regards, et passe brusquement, comme si de sa vie elle ne m'avait vu !

COVIELLE. Je dis les mêmes choses que vous.

CLÉONTE. Peut-on rien voir d'égal, Covielle, à cette perfidie de l'ingrate Lucile ?

COVIELLE. Et à celle, Monsieur, de la pendarde[3] de Nicole ?

CLÉONTE. Après tant de sacrifices ardents, de soupirs, et de vœux que j'ai faits à ses charmes !

COVIELLE. Après tant d'assidus hommages, de soins et de services que je lui ai rendus dans sa cuisine !

CLÉONTE. Tant de larmes que j'ai versées à ses genoux !

COVIELLE. Tant de seaux d'eau que j'ai tirés au puits pour elle !

CLÉONTE. Tant d'ardeur que j'ai fait paraître à la chérir plus que moi-même !

COVIELLE. Tant de chaleur que j'ai soufferte à tourner la broche à sa place !

1 *Amant* : celui qui est amoureux.
2 *Amitié* : amour.
3 *Pendarde* : coquine.

CLÉONTE. Elle me fuit avec mépris !

COVIELLE. Elle me tourne le dos avec effronterie !

CLÉONTE. C'est une perfidie digne des plus grands châtiments.

COVIELLE. C'est une trahison à mériter mille soufflets.

CLÉONTE. Ne t'avise point, je te prie, de me parler jamais pour elle.

COVIELLE. Moi, Monsieur ! Dieu m'en garde !

CLÉONTE. Ne viens point m'excuser l'action de cette infidèle.

COVIELLE. N'ayez pas peur.

CLÉONTE. Non, vois-tu, tous tes discours pour la défendre ne serviront de rien.

COVIELLE. Qui songe à cela ?

CLÉONTE. Je veux contre elle conserver mon ressentiment, et rompre ensemble tout commerce[1].

COVIELLE. J'y consens.

CLÉONTE. Ce Monsieur le Comte qui va chez elle lui donne peut-être dans la vue ; et son esprit, je le vois bien, se laisse éblouir à la qualité[2]. Mais il me faut, pour mon honneur, prévenir l'éclat[3] de son inconstance. Je veux faire autant de pas qu'elle au changement où je la vois courir, et ne lui laisser pas toute la gloire de me quitter.

COVIELLE. C'est fort bien dit, et j'entre pour mon compte dans tous vos sentiments.

CLÉONTE. Donne la main[4] à mon dépit, et soutiens ma résolution contre tous les restes d'amour qui me pourraient parler pour elle. Dis-m'en, je t'en conjure, tout le mal que tu pourras ; fais-moi de sa personne une peinture qui me la rende méprisable ; et marque-moi bien, pour m'en dégoûter, tous les défauts que tu peux voir en elle.

1 *Commerce* : relation.
2 *À la qualité* : en raison de sa noblesse.
3 *Prévenir l'éclat* : empêcher le scandale.
4 *Donne la main* : viens en aide.

COVIELLE. Elle, Monsieur ! Voilà une belle mijaurée, une pimpesouée[1] bien bâtie, pour vous donner tant d'amour ! Je ne lui vois rien que de très médiocre, et vous trouverez cent personnes qui seront plus dignes de vous. Premièrement, elle a les yeux petits.

CLÉONTE. Cela est vrai, elle a les yeux petits ; mais elle les a pleins de feux, les plus brillants, les plus perçants du monde, les plus touchants qu'on puisse voir.

COVIELLE. Elle a la bouche grande.

CLÉONTE. Oui ; mais on y voit des grâces qu'on ne voit point aux autres bouches ; et cette bouche, en la voyant, inspire des désirs, est la plus attrayante, la plus amoureuse du monde.

COVIELLE. Pour sa taille, elle n'est pas grande.

CLÉONTE. Non ; mais elle est aisée et bien prise.

COVIELLE. Elle affecte une nonchalance dans son parler, et dans ses actions.

CLÉONTE. Il est vrai ; mais elle a grâce à tout cela, et ses manières sont engageantes, ont je ne sais quel charme à s'insinuer dans les cœurs.

COVIELLE. Pour de l'esprit...

CLÉONTE. Ah ! elle en a, Covielle, du plus fin, du plus délicat.

COVIELLE. Sa conversation...

CLÉONTE. Sa conversation est charmante.

COVIELLE. Elle est toujours sérieuse.

CLÉONTE. Veux-tu de ces enjouements[2] épanouis, de ces joies toujours ouvertes ? et vois-tu rien de plus impertinent[3] que des femmes qui rient à tout propos ?

COVIELLE. Mais enfin elle est capricieuse autant que personne du monde.

1 *Mijaurée* : femme affectée qui fait la délicate, la précieuse. – *Pimpesouée* : femme prétentieuse, avec de petites manières ridicules (on reconnaît dans ce mot le vieux verbe *pimper*, dont il reste *pimpant* dans la langue actuelle).
2 *Enjouement* : gaieté.
3 *Impertinent* : déplaisant, déplacé.

SITUER

Mme Jourdain veut hâter le mariage de sa fille, Lucile, avec le jeune Cléonte. Mais celui-ci et son valet, Covielle, se montrent hostiles à Nicole, surprise de ce mauvais accueil.

OBSERVER

Grammaire : ***La douche froide***

1. Dans la scène 8, étudiez la ponctuation et le mode des verbes. Qu'en déduisez-vous ? Que signifient dans un dialogue les points de suspension en fin de réplique ?

2. Quel est le sens précis de *et* (sc. 9, l. 10 et 14) ?

Tons : ***L'amoureux dépité***

3. Dans la tirade de Cléonte (sc. 9), relevez les pronoms personnels ; qu'indiquent-ils ? Pourquoi les phrases de Cléonte sont-elles juxtaposées, sans mot de liaison ? Quel effet cela produit-il ?

4. Relevez les expressions de Cléonte que Covielle reprend ou transpose dans son langage de valet (l. 18-34). Comment appelle-t-on le procédé qui consiste à parler de choses élevées, comme l'amour, avec des mots ordinaires qui désignent des choses matérielles (☞ p. 190) ? Quel est l'effet produit ?

APPROFONDIR

Caractères : ***Jeunesse, jeunesse !***

5. Dans la scène 9, à quel moment Cléonte trahit-il son serment de ne plus aimer Lucile ? Quel est le mot qui relance ses répliques ?

6. À quoi voit-on que Cléonte est amoureux de Lucile, mais qu'il s'efforce d'être fâché contre elle (sc. 9) ?

L'art du théâtre : ***Faire rire les honnêtes gens***

7. Encore une fois, la scène 9 présente deux moments distincts ; délimitez-les. En quoi servent-ils le comique ? N'y a-t-il pas à la fin d'autres renversements ?

8. Quel effet Molière crée-t-il en ménageant un effet d'écho entre les répliques de Cléonte et celles de Covielle ?

9. Quel est, pour le spectateur, l'intérêt de ce coup de théâtre ?

CLÉONTE. Oui, elle est capricieuse, j'en demeure d'accord ; mais tout sied bien aux belles, on souffre tout des belles.

COVIELLE. Puisque cela va comme cela, je vois bien que vous avez envie de l'aimer toujours.

CLÉONTE. Moi, j'aimerais mieux mourir ; et je vais la haïr autant que je l'ai aimée.

COVIELLE. Le moyen, si vous la trouvez si parfaite ?

CLÉONTE. C'est en quoi ma vengeance sera plus éclatante, en quoi je veux faire mieux voir la force de mon cœur : à la haïr, à la quitter, toute belle, toute pleine d'attraits, toute aimable que je la trouve. La voici.

Scène 10 : CLÉONTE, LUCILE, COVIELLE, NICOLE

NICOLE. Pour moi, j'en ai été toute scandalisée.

LUCILE. Ce ne peut être, Nicole, que ce que je te dis. Mais le voilà.

CLÉONTE. Je ne veux pas seulement lui parler.

COVIELLE. Je veux vous imiter.

LUCILE. Qu'est-ce donc, Cléonte ? qu'avez-vous ?

NICOLE. Qu'as-tu donc, Covielle ?

LUCILE. Quel chagrin vous possède ?

NICOLE. Quelle mauvaise humeur te tient ?

LUCILE. Êtes-vous muet, Cléonte ?

NICOLE. As-tu perdu la parole, Covielle ?

CLÉONTE. Que voilà qui est scélérat !

COVIELLE. Que cela est Judas[1] !

1 *Cela est Judas* : cela est digne de Judas, qui a trahi le Christ ; fourbe, traître.

LUCILE. Je vois bien que la rencontre de tantôt a troublé votre esprit.

CLÉONTE. Ah, ah ! on voit ce qu'on a fait.

NICOLE. Notre accueil de ce matin t'a fait prendre la chèvre[1].

COVIELLE. On a deviné l'enclouure[2].

LUCILE. N'est-il pas vrai, Cléonte, que c'est là le sujet de votre dépit ?

CLÉONTE. Oui, perfide, ce l'est, puisqu'il faut parler ; et j'ai à vous dire que vous ne triompherez pas comme vous pensez de votre infidélité, que je veux être le premier à rompre avec vous, et que vous n'aurez pas l'avantage de me chasser. J'aurai de la peine, sans doute, à vaincre l'amour que j'ai pour vous, cela me causera des chagrins, je souffrirai un temps ; mais j'en viendrai à bout, et je me percerai plutôt le cœur, que d'avoir la faiblesse de retourner à vous.

COVIELLE. Queussi, queumi[3].

LUCILE. Voilà bien du bruit pour un rien. Je veux vous dire, Cléonte, le sujet qui m'a fait ce matin éviter votre abord.

CLÉONTE. Non, je ne veux rien écouter.

NICOLE. Je te veux apprendre la cause qui nous a fait passer si vite.

COVIELLE. Je ne veux rien entendre.

LUCILE. Sachez que ce matin...

CLÉONTE. Non, vous dis-je.

NICOLE. Apprends que...

COVIELLE. Non, traîtresse.

LUCILE. Écoutez.

CLÉONTE. Point d'affaire.

NICOLE. Laisse-moi dire.

1 *Prendre la chèvre* : se fâcher pour peu de chose.
2 *L'enclouure* : la blessure, la difficulté cachée (au sens propre, blessure provoquée par un clou dans le sabot d'un cheval).
3 *Queussi, queumi* : moi aussi.

COVIELLE. Je suis sourd.

LUCILE. Cléonte.

CLÉONTE. Non.

NICOLE. Covielle.

COVIELLE. Point.

LUCILE. Arrêtez.

CLÉONTE. Chansons.

NICOLE. Entends-moi.

COVIELLE. Bagatelle.

LUCILE. Un moment.

CLÉONTE. Point du tout.

NICOLE. Un peu de patience.

COVIELLE. Tarare[1].

LUCILE. Deux paroles.

CLÉONTE. Non, c'en est fait.

NICOLE. Un mot.

COVIELLE. Plus de commerce[2].

LUCILE. Hé bien ! puisque vous ne voulez pas m'écouter, demeurez dans votre pensée, et faites ce qu'il vous plaira.

NICOLE. Puisque tu fais comme cela, prends-le tout comme tu voudras.

CLÉONTE. Sachons donc le sujet d'un si bel accueil.

LUCILE. Il ne me plaît plus de le dire.

COVIELLE. Apprends-nous un peu cette histoire.

NICOLE. Je ne veux plus, moi, te l'apprendre.

CLÉONTE. Dites-moi...

LUCILE. Non, je ne veux rien dire.

COVIELLE. Conte-moi...

1 *Tarare* : pas du tout (exclamation de refus moqueur).
2 *Plus de commerce* : expression courante signifiant « tout est fini, ne nous parlons plus ».

NICOLE. Non, je ne conte rien.

CLÉONTE. De grâce.

LUCILE. Non, vous dis-je.

COVIELLE. Par charité.

NICOLE. Point d'affaire.

CLÉONTE. Je vous en prie.

LUCILE. Laissez-moi.

COVIELLE. Je t'en conjure.

NICOLE. Ôte-toi de là.

CLÉONTE. Lucile.

LUCILE. Non.

COVIELLE. Nicole.

NICOLE. Point.

CLÉONTE. Au nom des dieux !

LUCILE. Je ne veux pas.

COVIELLE. Parle-moi.

NICOLE. Point du tout.

CLÉONTE. Éclaircissez mes doutes.

LUCILE. Non, je n'en ferai rien.

COVIELLE. Guéris-moi l'esprit.

NICOLE. Non, il ne me plaît pas.

CLÉONTE. Hé bien ! puisque vous vous souciez si peu de me tirer de peine, et de vous justifier du traitement indigne que vous avez fait à ma flamme[1], vous me voyez, ingrate, pour la dernière fois, et je vais loin de vous mourir de douleur et d'amour.

COVIELLE. Et moi, je vais suivre ses pas.

LUCILE. Cléonte.

NICOLE. Covielle.

CLÉONTE. Eh ?

1 *Flamme* : amour.

COVIELLE. Plaît-il ?

LUCILE. Où allez-vous ?

CLÉONTE. Où je vous ai dit.

COVIELLE. Nous allons mourir.

LUCILE. Vous allez mourir, Cléonte ?

CLÉONTE. Oui, cruelle, puisque vous le voulez.

LUCILE. Moi, je veux que vous mouriez ?

CLÉONTE. Oui, vous le voulez.

LUCILE. Qui vous le dit ?

CLÉONTE. N'est-ce pas le vouloir, que de ne vouloir pas éclaircir mes soupçons ?

LUCILE. Est-ce ma faute ? et si vous aviez voulu m'écouter, ne vous aurais-je pas dit que l'aventure dont vous vous plaignez a été causée ce matin par la présence d'une vieille tante, qui veut à toute force que la seule approche d'un homme déshonore une fille, qui perpétuellement nous sermonne sur ce chapitre, et nous figure[1] tous les hommes comme des diables qu'il faut fuir.

NICOLE. Voilà le secret de l'affaire.

CLÉONTE. Ne me trompez-vous point, Lucile ?

COVIELLE. Ne m'en donnes-tu point à garder[2] ?

LUCILE. Il n'est rien de plus vrai.

NICOLE. C'est la chose comme elle est.

COVIELLE. Nous rendrons-nous à cela ?

CLÉONTE. Ah ! Lucile, qu'avec un mot de votre bouche vous savez apaiser de choses dans mon cœur ! et que facilement on se laisse persuader aux[3] personnes qu'on aime !

COVIELLE. Qu'on est aisément amadoué[4] par ces diantres d'animaux-là !

1 *Figure* : décrit.
2 *Ne m'en donnes-tu point à garder ?* : ne me trompes-tu pas ?
3 *Aux* : par les.
4 *Amadoué* : séduit, radouci.

SITUER

Les deux couples d'amoureux se rencontrent, ce qui donne lieu à une scène de double dépit amoureux. Ces échanges, fréquents dans la comédie du XVIIe siècle, voient les amoureux se brouiller dans un premier temps, puis se raccommoder ensuite.

OBSERVER

L'art du théâtre : ***Un ballet de paroles***

1. Montrez la manière dont Molière varie les formes d'expression du refus (l. 32 à 91). Que vise-t-il en procédant ainsi ?

2. Étudiez l'ordre d'intervention des personnages (l. 30-59 et 64-91). Pourquoi Molière a-t-il ainsi mécanisé son dialogue, au point d'en faire un rigoureux *« ballet de paroles »* (☞ p. 171), selon l'expression du critique R. Garapon ?

3. Comparez ce passage à celui du *Tartuffe* (acte II, sc. 4) qui ne met en scène que deux personnages : en quoi se ressemblent-ils néanmoins ?

APPROFONDIR

Stratégies : ***Un jeu inoffensif***

4. D'où provient l'agrément de la scène ? Ce genre de querelle est-il sérieux ? Que pensez-vous de sa cause ?

5. À quel moment s'opère le retournement de situation ? Pourquoi a-t-il lieu à cet instant ?

Tons : ***La variété***

6. Qu'y a-t-il de drôle dans les revirements des amoureux et dans le parallélisme des couples ?

7. Montrez que le ton change à certains moments.

Mise en scène : ***Quel rythme ?***

8. Si vous étiez metteur en scène, feriez-vous jouer la scène lentement ou de manière vive et enchaînée ? Justifiez votre réponse en étudiant notamment la longueur des répliques.

Scène 11 : MADAME JOURDAIN, CLÉONTE, LUCILE, COVIELLE, NICOLE

MADAME JOURDAIN. Je suis bien aise de vous voir, Cléonte, et vous voilà tout à propos. Mon mari vient ; prenez vite votre temps[1] pour lui demander Lucile en mariage.

CLÉONTE. Ah ! Madame, que cette parole m'est douce, et qu'elle flatte mes désirs ! Pouvais-je recevoir un ordre plus charmant ? une faveur plus précieuse ?

Scène 12 : MONSIEUR JOURDAIN, MADAME JOURDAIN, CLÉONTE, LUCILE, COVIELLE, NICOLE

CLÉONTE. Monsieur, je n'ai voulu prendre personne pour vous faire une demande que je médite il y a longtemps. Elle me touche assez pour m'en charger moi-même ; et, sans autre détour, je vous dirai que l'honneur d'être votre gendre est une faveur glorieuse que je vous prie de m'accorder.

MONSIEUR JOURDAIN. Avant que de vous rendre réponse, Monsieur, je vous prie de me dire si vous êtes gentilhomme.

CLÉONTE. Monsieur, la plupart des gens sur cette question n'hésitent pas beaucoup. On tranche le mot[2] aisément. Ce nom ne fait aucun scrupule à prendre, et l'usage aujourd'hui semble en autoriser le vol. Pour moi, je vous l'avoue, j'ai les sentiments sur cette matière un peu plus délicats : je trouve que toute imposture est indigne d'un honnête homme, et qu'il y a de la lâcheté à déguiser ce que le Ciel nous a fait naître, à se parer aux yeux du monde d'un titre dérobé, à se vouloir donner pour ce qu'on n'est pas. Je suis né de parents, sans doute, qui ont tenu des charges[3] honorables. Je me suis acquis dans les armes

1 *Prenez vite votre temps* : saisissez vite l'occasion.
2 *On tranche le mot* : on règle la question.
3 *Tenu des charges* : rempli des fonctions, occupé des postes.

l'honneur de six ans de services, et je me trouve assez de bien pour tenir dans le monde un rang assez passable. Mais, avec tout cela, je ne veux point me donner un nom où d'autres en ma place croiraient pouvoir prétendre, et je vous dirai franchement que je ne suis point gentilhomme.

MONSIEUR JOURDAIN. Touchez là[1], Monsieur : ma fille n'est pas pour vous.

CLÉONTE. Comment ?

MONSIEUR JOURDAIN. Vous n'êtes point gentilhomme, vous n'aurez pas ma fille.

MADAME JOURDAIN. Que voulez-vous donc dire avec votre gentilhomme ? Est-ce que nous sommes, nous autres, de la côte de saint Louis[2] ?

MONSIEUR JOURDAIN. Taisez-vous, ma femme : je vous vois venir.

MADAME JOURDAIN. Descendons-nous tous deux que[3] de bonne bourgeoisie ?

MONSIEUR JOURDAIN. Voilà pas le coup de langue[4] ?

MADAME JOURDAIN. Et votre père n'était-il pas marchand aussi bien que le mien ?

MONSIEUR JOURDAIN. Peste soit de la femme ! Elle n'y a jamais manqué. Si votre père a été marchand, tant pis pour lui ; mais pour le mien, ce sont des malavisés[5] qui disent cela. Tout ce que j'ai à vous dire, moi, c'est que je veux avoir un gendre gentilhomme.

MADAME JOURDAIN. Il faut à votre fille un mari qui lui soit propre[6],

1 *Touchez là* : touchez-moi la main ; formule qui d'ordinaire confirme un accord, mais qu'on emploie parfois au contraire pour mieux souligner un refus, comme ici.
2 *De la côte de saint Louis* : de la race de saint Louis. On dirait aujourd'hui : *de la cuisse de Jupiter*.
3 *Descendons-nous tous deux que de bonne bourgeoisie ?* : sommes-nous d'une autre souche que de la bonne bourgeoisie ?
4 *Voilà pas le coup de langue ?* : n'est-ce pas là de la médisance ?
5 *Malavisés* : sots.
6 *Propre* : convenable.

et il vaut mieux pour elle un honnête homme riche et bien fait, qu'un gentilhomme gueux[1] et mal bâti.

NICOLE. Cela est vrai. Nous avons le fils du gentilhomme de notre village, qui est le plus grand malitorne[2] et le plus sot dadais que j'aie jamais vu.

MONSIEUR JOURDAIN. Taisez-vous, impertinente. Vous vous fourrez toujours dans la conversation. J'ai du bien assez pour ma fille, je n'ai besoin que d'honneur, et je la veux faire marquise.

MADAME JOURDAIN. Marquise ?

MONSIEUR JOURDAIN. Oui, marquise.

MADAME JOURDAIN. Hélas ! Dieu m'en garde !

MONSIEUR JOURDAIN. C'est une chose que j'ai résolue.

MADAME JOURDAIN. C'est une chose, moi, où je ne consentirai point. Les alliances avec plus grand que soi sont sujettes toujours à de fâcheux inconvénients. Je ne veux point qu'un gendre puisse à ma fille reprocher ses parents, et qu'elle ait des enfants qui aient honte de m'appeler leur grand-maman. S'il fallait qu'elle me vînt visiter en équipage[3] de grand-dame, et qu'elle manquât par mégarde à saluer quelqu'un du quartier, on ne manquerait pas aussitôt de dire cent sottises. « Voyez-vous, dirait-on, cette Madame la Marquise qui fait tant la glorieuse[4] ? C'est la fille de Monsieur Jourdain, qui était trop heureuse, étant petite, de jouer à la Madame avec nous. Elle n'a pas toujours été si relevée[5] que la voilà, et ses deux grands-pères vendaient du drap auprès de la porte Saint-Innocent[6]. Ils ont amassé du bien à leurs enfants, qu'ils payent maintenant peut-être bien cher en l'autre monde, et l'on ne devient guère si riches à être honnêtes gens. » Je ne veux point tous ces caquets, et je

1 *Gueux* : pauvre, sans le sou.
2 *Malitorne* : maladroit, bon à rien.
3 *Équipage* désigne tout ce qui concerne le train de vie apparent : vêtements, chevaux, laquais.
4 *Glorieuse* : prétentieuse, fière.
5 *Relevée* : hautaine.
6 *La porte Saint-Innocent* : la porte du cimetière des Saints-Innocents.

SITUER

Fort des encouragements de Mme Jourdain, le jeune Cléonte s'apprête à demander la main de Lucile à son père.

OBSERVER

Vocabulaire : ***Un jeune homme honnête***

1. Dans la tirade de Cléonte, étudiez le champ lexical (☞ p. 190) du mensonge et de l'imposture. À quel autre personnage de la pièce le jeune homme s'oppose-t-il de ce fait ?

Structure : ***L'ordre du discours***

2. Quels sont les thèmes que Cléonte développe successivement ? Son propos vous paraît-il bien construit ?

Tons : ***Le bourgeois furieux***

3. Relevez les indices qui révèlent la colère de M. Jourdain à l'égard de sa femme.

APPROFONDIR

Société : ***La critique sociale***

4. Au XVIIe siècle, on ne sort pas de sa classe sociale ; les nobles, les bourgeois et même les paysans se méfient d'une mésalliance. Quels en sont les risques, selon Mme Jourdain ? Êtes-vous de son avis ?

5. Un personnage important demeure silencieux ; lequel et pourquoi ?

Caractères : ***Choisir un gendre***

6. Quels sont les critères de M. Jourdain pour le choix d'un gendre ? Ce faisant, qui veut-il d'abord satisfaire ?

7. Quelle qualité Mme Jourdain et Cléonte possèdent-ils en commun ? Justifiez votre réponse.

8. De quelle qualité Mme Jourdain fait-elle preuve quand elle défend son choix ?

Tons : ***La comédie à la lisière du drame***

9. En quoi la dernière réplique de M. Jourdain est-elle comique ?

10. Comment Molière s'y prend-il pour éviter que la scène 12 ne « tourne au tragique » après le refus de M. Jourdain ?

veux un homme, en un mot, qui m'ait obligation[1] de ma fille, et à qui je puisse dire : « Mettez-vous là, mon gendre, et dînez avec moi ».

MONSIEUR JOURDAIN. Voilà bien les sentiments d'un petit esprit, de vouloir demeurer toujours dans la bassesse. Ne me répliquez pas davantage : ma fille sera marquise en dépit de tout le monde ; et si vous me mettez en colère, je la ferai duchesse.

MADAME JOURDAIN. Cléonte, ne perdez point courage encore. Suivez-moi, ma fille, et venez dire résolument à votre père, que si vous ne l'avez, vous ne voulez épouser personne.

Scène 13 : CLÉONTE, COVIELLE

COVIELLE. Vous avez fait de belles affaires avec vos beaux sentiments.

CLÉONTE. Que veux-tu ? j'ai un scrupule là-dessus, que l'exemple[2] ne saurait vaincre.

COVIELLE. Vous moquez-vous, de le prendre sérieusement avec un homme comme cela ? Ne voyez-vous pas qu'il est fou ? et vous coûtait-il quelque chose de vous accommoder à ses chimères[3] ?

CLÉONTE. Tu as raison ; mais je ne croyais pas qu'il fallût faire ses preuves de noblesse pour être gendre de Monsieur Jourdain.

COVIELLE. Ah, ah, ah.

CLÉONTE. De quoi ris-tu ?

COVIELLE. D'une pensée qui me vient pour jouer notre homme, et vous faire obtenir ce que vous souhaitez.

CLÉONTE. Comment ?

COVIELLE. L'idée est tout à fait plaisante.

1 *Qui m'ait obligation* : qui me soit reconnaissant.
2 L'exemple offert par M. Jourdain de se prétendre noble sans l'être.
3 *Chimères* : folies.

CLÉONTE. Quoi donc ?

COVIELLE. Il s'est fait depuis peu une certaine mascarade qui vient[1] le mieux du monde ici, et que je prétends faire entrer dans une bourle[2] que je veux faire à notre ridicule[3]. Tout cela sent un peu sa comédie ; mais avec lui on peut hasarder toute chose, il n'y faut point chercher tant de façons ; il est homme à y jouer son rôle à merveille, et à donner aisément dans toutes les fariboles[4] qu'on s'avisera de lui dire. J'ai les acteurs, j'ai les habits tout prêts : laissez-moi faire seulement.

CLÉONTE. Mais apprends-moi...

COVIELLE. Je vais vous instruire de tout. Retirons-nous, le voilà qui revient.

Scène 14 : MONSIEUR JOURDAIN, LAQUAIS

MONSIEUR JOURDAIN. Que diable est-ce là ! ils n'ont rien que les grands seigneurs à me reprocher[5] ; et moi, je ne vois rien de si beau que de hanter[6] les grands seigneurs : il n'y a qu'honneur et que civilité[7] avec eux, et je voudrais qu'il m'eût coûté deux doigts de la main, et être né comte ou marquis.

LAQUAIS. Monsieur, voici Monsieur le Comte, et une dame qu'il mène par la main.

MONSIEUR JOURDAIN. Hé mon Dieu ! j'ai quelques ordres à donner. Dis-leur que je vais venir ici tout à l'heure[8].

1 *Vient* : convient.
2 *Bourle* : farce, tour que l'on joue à quelqu'un (de l'espagnol *burla*).
3 *Notre ridicule* : notre bourgeois ridicule (l'adjectif a valeur de substantif).
4 *Fariboles* : bêtises.
5 *Ils n'ont rien que les grands seigneurs à me reprocher* : ils ne font que me reprocher les grands seigneurs.
6 *Hanter* : fréquenter assidûment.
7 *Civilité* : bonnes manières.
8 *Tout à l'heure* : tout de suite.

Scène 15 : DORIMÈNE, DORANTE, LAQUAIS

LAQUAIS. Monsieur dit comme cela qu'il va venir ici tout à l'heure.

DORANTE. Voilà qui est bien.

DORIMÈNE. Je ne sais pas, Dorante, je fais encore ici une étrange démarche, de me laisser amener par vous dans une maison où je ne connais personne.

DORANTE. Quel lieu voulez-vous donc, Madame, que mon amour choisisse pour vous régaler[1], puisque, pour fuir l'éclat[2], vous ne voulez ni votre maison, ni la mienne ?

DORIMÈNE. Mais vous ne dites pas que je m'engage insensiblement, chaque jour, à recevoir de trop grands témoignages de votre passion ? J'ai beau me défendre des choses, vous fatiguez ma résistance, et vous avez une civile opiniâtreté[3] qui me fait venir doucement à tout ce qu'il vous plaît. Les visites fréquentes ont commencé ; les déclarations sont venues ensuite, qui après elles ont traîné[4] les sérénades et les cadeaux[5], que les présents ont suivis. Je me suis opposée à tout cela, mais vous ne vous rebutez point, et, pied à pied, vous gagnez[6] mes résolutions. Pour moi, je ne puis plus répondre de rien, et je crois qu'à la fin vous me ferez venir au mariage, dont je me suis tant éloignée.

DORANTE. Ma foi ! Madame, vous y devriez déjà être. Vous êtes veuve, et ne dépendez que de vous. Je suis maître de moi, et vous aime plus que ma vie. À quoi tient-il que dès aujourd'hui vous ne fassiez tout mon bonheur ?

DORIMÈNE. Mon Dieu ! Dorante, il faut des deux parts bien des qualités pour vivre heureusement ensemble ; et les deux plus raisonnables personnes du monde ont souvent peine à composer une union dont ils soient satisfaits.

---

1 *Pour vous régaler* : pour vous offrir une fête.
2 *Pour fuir l'éclat* : pour agir avec discrétion.
3 *Civile opiniâtreté* : aimable insistance.
4 *Traîné* : entraîné.
5 *Cadeau* : c'est principalement un repas offert à des dames à la campagne.
6 *Vous gagnez mes résolutions* : vous l'emportez sur mes résolutions.

DORANTE. Vous vous moquez, Madame, de vous y figurer tant de difficultés ; et l'expérience que vous avez faite ne conclut rien pour tous les autres.

DORIMÈNE. Enfin j'en reviens toujours là : les dépenses que je vous vois faire pour moi m'inquiètent par deux raisons : l'une, qu'elles m'engagent plus que je ne voudrais ; et l'autre, que je suis sûre, sans vous déplaire, que vous ne les faites point que vous ne vous incommodiez[1] ; et je ne veux point cela.

DORANTE. Ah ! Madame, ce sont des bagatelles[2] ; et ce n'est pas par là...

DORIMÈNE. Je sais ce que je dis ; et, entre autres, le diamant que vous m'avez forcée à prendre est d'un prix...

DORANTE. Eh ! Madame, de grâce, ne faites point tant valoir une chose que mon amour trouve indigne de vous ; et souffrez... Voici le maître du logis.

Scène 16 : MONSIEUR JOURDAIN, DORIMÈNE, DORANTE, LAQUAIS

MONSIEUR JOURDAIN, *après avoir fait deux révérences, se trouvant trop près de Dorimène.* Un peu plus loin, Madame.

DORIMÈNE. Comment ?

MONSIEUR JOURDAIN. Un pas, s'il vous plaît.

DORIMÈNE. Quoi donc ?

MONSIEUR JOURDAIN. Reculez un peu, pour la troisième[3].

DORANTE. Madame, Monsieur Jourdain sait son monde[4].

1 *Que vous ne vous incommodiez* : sans que vous ne compromettiez votre situation financière.
2 *Bagatelles* : choses sans importance.
3 *La troisième* : la troisième révérence, comme on le lui a enseigné.
4 *Sait son monde* : connaît les usages mondains.

MONSIEUR JOURDAIN. Madame, ce m'est une gloire bien grande de me voir assez fortuné pour être si heureux que d'avoir le bonheur que vous ayez eu la bonté de m'accorder la grâce de me faire l'honneur de m'honorer de la faveur de votre présence ; et si j'avais aussi le mérite pour mériter un mérite comme le vôtre, et que le Ciel... envieux de mon bien... m'eût accordé... l'avantage de me voir digne... des...

DORANTE. Monsieur Jourdain, en voilà assez : Madame n'aime pas les grands compliments, et elle sait que vous êtes homme d'esprit. *(Bas, à Dorimène.)* C'est un bon bourgeois assez ridicule, comme vous voyez, dans toutes ses manières.

DORIMÈNE. Il n'est pas malaisé de s'en apercevoir[1].

DORANTE. Madame, voilà le meilleur de mes amis.

MONSIEUR JOURDAIN. C'est trop d'honneur que vous me faites.

DORANTE. Galant homme[2] tout à fait.

DORIMÈNE. J'ai beaucoup d'estime pour lui.

MONSIEUR JOURDAIN. Je n'ai rien fait encore, Madame, pour mériter cette grâce.

DORANTE, *bas, à M. Jourdain.* Prenez bien garde au moins à ne lui point parler du diamant que vous lui avez donné.

MONSIEUR JOURDAIN. Ne pourrais-je pas seulement lui demander comment elle le trouve[3] ?

DORANTE. Comment ? gardez-vous-en bien : cela serait vilain[4] à vous ; et pour agir en galant homme, il faut que vous fassiez comme si ce n'était pas vous qui lui eussiez fait ce présent[5]. Monsieur Jourdain, Madame, dit qu'il est ravi de vous voir chez lui.

DORIMÈNE. Il m'honore beaucoup.

1 Dorimène répond à Dorante en aparté. ☞ p. 190.
2 *Galant* : « qui a l'air de la cour [...], qui tâche à plaire, et particulièrement au beau sexe ». (Dict. de Furetière, 1690.) ☞ p. 189.
3 M. Jourdain dit cette phrase en aparté.
4 *Vilain* : vulgaire (un *vilain* est un paysan).
5 Dorante répond à M. Jourdain en aparté, mais prononce la dernière phrase à haute voix.

MONSIEUR JOURDAIN. Que je vous suis obligé, Monsieur, de lui parler ainsi pour moi[1] !

DORANTE. J'ai eu une peine effroyable à la faire venir ici.

MONSIEUR JOURDAIN. Je ne sais quelles grâces vous en rendre.

DORANTE. Il dit, Madame, qu'il vous trouve la plus belle personne du monde.

DORIMÈNE. C'est bien de la grâce qu'il me fait.

MONSIEUR JOURDAIN. Madame, c'est vous qui faites les grâces ; et...

DORANTE. Songeons à manger.

LAQUAIS. Tout est prêt, Monsieur.

DORANTE. Allons donc nous mettre à table, et qu'on fasse venir les musiciens.

Six cuisiniers, qui ont préparé le festin, dansent ensemble, et font le troisième intermède ; après quoi, ils apportent une table couverte de plusieurs mets.

1 Cette réplique et les deux suivantes sont dites en aparté.

SITUER

Covielle imagine un stratagème pour aider son maître à épouser Lucile. M. Jourdain sort un moment et l'on découvre que Mme Jourdain avait raison de se méfier de Dorante qui joue un double jeu et veut séduire Dorimène pour son propre compte. Le bourgeois revient et rencontre enfin sa belle marquise.

OBSERVER

Style : ***Un bon bourgeois assez ridicule...***

1. Étudiez le compliment que M. Jourdain adresse à Dorimène ; en quoi est-il ridicule ? Cette tentative malheureuse ne rappelle-t-elle pas d'autres scènes ?

L'art du théâtre : ***Un double jeu***

2. Pourquoi Dorante emploie-t-il le style indirect (l. 33 et 40) ? Comment le dialogue entre les trois personnages s'organise-t-il ? De quelle manière le mettriez-vous en scène ?

APPROFONDIR

Caractères : ***Le belle marquise***

3. Dorimène est-elle un double féminin de Dorante ? Justifiez votre réponse.

4. Pensez-vous que Dorante soit réellement amoureux d'elle ? Pourquoi ?

Stratégies : ***Une habile précaution***

5. Comment l'habileté de Dorante se manifeste-t-elle, quand il craint que M. Jourdain ne le trahisse involontairement ?

Tons : ***Rire ou s'émouvoir ?***

6. Le héros est certes ridicule et comique, mais cet homme qu'on trompe peut être aussi touchant : dans quelle réplique et pourquoi ?

ÉCRIRE

7. M. Jourdain commet une maladresse et apprend à Dorimène qu'il a lui-même choisi le diamant qu'il lui a offert par l'intermédiaire de Dorante. Récrivez la fin de la scène en imaginant la surprise de la jeune femme, la réaction de Dorante et l'attitude du bourgeois.

FAIRE LE POINT ✻ **ACTE III**

Caractères

1. M. Jourdain persiste dans son erreur de jugement sur Dorante et dans son projet fou de séduire une belle marquise. Cet aveuglement, dû à une idée fixe, est bien caractéristique des héros de Molière. Pouvez-vous en citer d'autres, en rappelant leur obsession ?

2. L'action fait intervenir de nouveaux personnages de caractères fort différents (☞ p. 174) : regroupez-les d'abord par couples ; puis distinguez les fourbes des personnages honnêtes. Quel est celui qui pourrait appartenir aux deux catégories ?

3. Quel est le personnage qui, voyant qu'on n'obtiendra rien par la voie de la raison, va tenter de vaincre autrement les résistances de M. Jourdain ?

4. Pourquoi cette idée n'est-elle pas venue à l'esprit des amoureux, Cléonte et Lucile ?

L'art du théâtre

5. L'intrigue se noue : pouvez-vous définir précisément les diverses menaces que la folie de M. Jourdain fait peser sur sa famille ?

6. Alors que les deux premiers actes étaient constamment drôles, le ton est ici quelque peu différent. Citez les scènes dont le ton est plus sérieux et expliquez ce changement.

Société

7. Les nouveaux personnages appartiennent à des milieux sociaux différents de celui de M. Jourdain : lesquels ? Qu'est-ce qui permet de les identifier ?

8. Quelle image Molière présente-t-il de la noblesse ? Montrez qu'elle est d'abord purement négative, avec Dorante, mais qu'elle se nuance ensuite. Comment Molière procède-t-il pour cela ?

Acte IV

Scène 1 : DORANTE, DORIMÈNE, MONSIEUR JOURDAIN
DEUX MUSICIENS, UNE MUSICIENNE, LAQUAIS

DORIMÈNE. Comment, Dorante ? voilà un repas tout à fait magnifique !

MONSIEUR JOURDAIN. Vous vous moquez, Madame, et je voudrais qu'il fût plus digne de vous être offert.

Tous se mettent à table.

DORANTE. Monsieur Jourdain a raison, Madame, de parler de la sorte, et il m'oblige[1] de vous faire si bien les honneurs de chez lui. Je demeure d'accord avec lui que le repas n'est pas digne de vous. Comme c'est moi qui l'ai ordonné, et que je n'ai pas sur cette matière les lumières de nos amis, vous n'avez pas ici un repas fort savant, et vous y trouverez des incongruités de bonne chère[2], et des barbarismes[3] de bon goût. Si Damis, notre ami, s'en était mêlé, tout serait dans les règles ; il y aurait partout de l'élégance et de l'érudition, et il ne manquerait pas de vous exagérer[4] lui-même toutes les pièces du repas qu'il vous donnerait, et de vous faire tomber d'accord de sa haute capacité dans la science des bons morceaux, de vous parler d'un pain de rive, à biseau doré[5], relevé de croûte partout, croquant tendrement sous la dent ; d'un vin à sève veloutée, armé d'un vert

1 *Il m'oblige* : il me fait plaisir.
2 *Des incongruités de bonne chère* : des erreurs quant à la façon d'organiser un repas dans les règles de l'art.
3 *Barbarisme* : faute grave de langage, emploi de mots déformés ; ici, par métaphore (☞ p. 138), faute de goût.
4 *Exagérer* : décrire savamment.
5 *Pain de rive à biseau doré* : pain qui a été cuit sur la rive du four (le bord), et qui est doré sur le côté (biseau).

qui n'est point trop commandant[1] ; d'un carré de mouton gourmandé de persil[2] ; d'une longe de veau de rivière[3], longue comme cela, blanche, délicate, et qui sous les dents est une vraie pâte d'amande ; de perdrix relevées d'un fumet surprenant ; et pour son opéra[4], d'une soupe à bouillon perlé[5], soutenue d'un jeune gros dindon cantonné[6] de pigeonneaux, et couronnée d'oignons blancs, mariés avec la chicorée. Mais pour moi, je vous avoue mon ignorance ; et comme Monsieur Jourdain a fort bien dit, je voudrais que le repas fût plus digne de vous être offert.

DORIMÈNE. Je ne réponds à ce compliment qu'en mangeant comme je fais.

MONSIEUR JOURDAIN. Ah ! que voilà de belles mains !

DORIMÈNE. Les mains sont médiocres, Monsieur Jourdain ; mais vous voulez parler du diamant, qui est fort beau.

MONSIEUR JOURDAIN. Moi, Madame ! Dieu me garde d'en vouloir parler ; ce ne serait pas agir en galant homme, et le diamant est fort peu de chose.

DORIMÈNE. Vous êtes bien dégoûté.

MONSIEUR JOURDAIN. Vous avez trop de bonté...

DORANTE, *après avoir fait signe à Monsieur Jourdain.* Allons, qu'on donne du vin à Monsieur Jourdain, et à ces Messieurs et à ces Dames, qui nous feront la grâce de nous chanter un air à boire.

DORIMÈNE. C'est merveilleusement assaisonner la bonne chère, que d'y mêler la musique, et je me vois ici admirablement régalée.

1 *Armé d'un vert qui n'est point trop commandant* : ayant la verdeur des vins nouveaux, mais pas trop acide au palais.
2 *Gourmandé de persil* : piqué de persil.
3 *Longe de veau* : pièce de l'échine ; les *veaux de rivière*, élevés en Normandie, étaient particulièrement gras.
4 *Opéra* : chef-d'œuvre.
5 *Soupe à bouillon perlé* : « On dit d'une soupe excellente que c'est une soupe perlée ». (Dict. de Furetière, 1690.)
6 *Cantonné* : flanqué aux quatre coins.

MONSIEUR JOURDAIN. Madame, ce n'est pas...

DORANTE. Monsieur Jourdain, prêtons silence à ces Messieurs et à ces Dames ; ce qu'ils nous diront vaudra mieux que tout ce que nous pourrions dire.

Les musiciens et la musicienne prennent des verres, chantent deux chansons à boire, et sont soutenus de toute la symphonie.

PREMIÈRE CHANSON À BOIRE

Un petit doigt, Philis, pour commencer le tour[1].
Ah ! qu'un verre en vos mains a d'agréables charmes !
Vous et le vin, vous vous prêtez des armes,
Et je sens pour tous deux redoubler mon amour :
Entre lui, vous et moi, jurons, jurons, ma belle,
Une ardeur éternelle.

Qu'en mouillant votre bouche il en reçoit d'attraits,
Et que l'on voit par lui votre bouche embellie !
Ah ! l'un de l'autre ils me donnent envie,
Et de vous et de lui je m'enivre à longs traits :
Entre lui, vous et moi, jurons, jurons, ma belle,
Une ardeur éternelle.

SECONDE CHANSON À BOIRE

Buvons, chers amis, buvons :
Le temps qui fuit nous y convie ;
Profitons de la vie
Autant que nous pouvons.
Quand on a passé l'onde noire[2],
Adieu le bon vin, nos amours ;
Dépêchons-nous de boire,
On ne boit pas toujours.
Laissons raisonner les sots
Sur le vrai bonheur de la vie ;

1 *Tour* : tournée.
2 *Passer l'onde noire* : mourir ; *l'onde noire* désigne Styx, le fleuve des enfers.

Jacques Charon (**M**ONSIEUR **J**OURDAIN), Geneviève Casile (**D**ORIMÈNE), Georges Descrières (**D**ORANTE) dans la mise en scène de Jean-Louis Barrault, la Comédie-Française aux Tuileries, 1972.

Notre philosophie
Le met parmi les pots.
Les biens, le savoir et la gloire
N'ôtent point les soucis fâcheux,
Et ce n'est qu'à bien boire
Que l'on peut être heureux.

Sus, sus[1]*, du vin partout, versez, garçons, versez,*
Versez, versez toujours, tant qu'on[2] *vous dise assez.*

DORIMÈNE. Je ne crois pas qu'on puisse mieux chanter, et cela est tout à fait beau.

MONSIEUR JOURDAIN. Je vois encore ici, Madame, quelque chose de plus beau.

DORIMÈNE. Ouais[3] ! Monsieur Jourdain est galant plus que je ne pensais.

DORANTE. Comment, Madame ? pour qui prenez-vous Monsieur Jourdain ?

MONSIEUR JOURDAIN. Je voudrais bien qu'elle[4] me prît pour ce que je dirais.

DORIMÈNE. Encore !

DORANTE. Vous ne le connaissez pas.

MONSIEUR JOURDAIN. Elle me connaîtra quand il lui plaira.

DORIMÈNE. Oh ! Je le quitte[5].

DORANTE. Il est homme qui a toujours la riposte en main. Mais vous ne voyez pas que Monsieur Jourdain, Madame, mange tous les morceaux que vous avez touchés.

DORIMÈNE. Monsieur Jourdain est un homme qui me ravit.

MONSIEUR JOURDAIN. Si je pouvais ravir votre cœur, je serais...

1 *Sus* : allons ! (interjection)
2 *Tant qu'on* : jusqu'à ce qu'on...
3 *Ouais* marque la surprise, mais n'est pas vulgaire au XVIIe s.
4 M. Jourdain se montre familier en utilisant le pronom personnel *elle*, au lieu de dire : *Madame la marquise.*
5 *Je le quitte* : j'abandonne.

SITUER

M. Jourdain croit impressionner Dorimène en lui offrant un somptueux déjeuner, mais, en fait, c'est Dorante qui « tire les marrons du feu » en laissant croire à la jeune femme que c'est lui qui invite.

OBSERVER

Vocabulaire : ***L'art de mettre l'eau à la bouche***

1. Dans la tirade de Dorante, relevez le vocabulaire appartenant au champ lexical (☞ p. 190) du délice. Quelles sont les expressions les plus suggestives ?

2. Cherchez le sens du mot *prétérition*. Repérez celle qui se trouve dans la tirade de Dorante. Quel effet produit-elle ?

La phrase : ***L'amateur raffiné et le fourbe***

3. Quel est l'effet obtenu par sa phrase si longue et si riche de détails (l. 11-25) ?

4. Qu'indiquent les points de suspension dans les répliques de M. Jourdain (l. 38 et 45) quant à l'attitude de Dorante ?

APPROFONDIR

Caractères : ***L'obsession du bourgeois***

5. N'y a-t-il pas une ambiguïté dans la dernière réplique de Dorimène ? Comment M. Jourdain comprend-il cette formule ?

Stratégies : ***Le fourbe parvient à ses fins***

6. Comment Dorante s'y prend-il pour séduire Dorimène ? Est-ce par modestie qu'il emploie le conditionnel dans sa tirade ? Est-elle touchée par tout cela ?

L'art du théâtre : ***Comédie et musique***

7. Pourquoi l'échange de M. Jourdain et de Dorimène sur le diamant est-il comique ? (l. 31 à 38). Le héros sait-il qu'il a commis une bévue ? De quoi et de qui rit le spectateur ?

8. L'intermède musical vous paraît-il bien intégré à la situation ? Justifiez votre réponse.

Mise en scène : ***Un court bonheur***

9. Dans la mise en scène de J.-L. Barrault (photo p. 112), quels détails permettent d'identifier M. Jourdain et Dorante ? À quelle réplique de la scène cette photo correspond-elle, selon vous ?

10. Que signifie symboliquement le fait que Dorimène soit assise entre eux deux ?

Scène 2 : MADAME JOURDAIN, MONSIEUR JOURDAIN, DORIMÈNE, DORANTE, MUSICIENS, MUSICIENNES, LAQUAIS

MADAME JOURDAIN. Ah, ah ! je trouve ici bonne compagnie, et je vois bien qu'on ne m'y attendait pas. C'est donc pour cette belle affaire-ci, Monsieur mon mari, que vous avez eu tant d'empressement à m'envoyer dîner chez ma sœur ? Je viens de voir un théâtre là-bas[1], et je vois ici un banquet à faire noces. Voilà comme vous dépensez votre bien, et c'est ainsi que vous festinez[2] les dames en mon absence, et que vous leur donnez la musique et la comédie, tandis que vous m'envoyez promener ?

DORANTE. Que voulez-vous dire, Madame Jourdain ? et quelles fantaisies[3] sont les vôtres, de vous aller mettre en tête que votre mari dépense son bien, et que c'est lui qui donne ce régale[4] à Madame ? Apprenez que c'est moi, je vous prie ; qu'il ne fait seulement que me prêter sa maison, et que vous devriez un peu mieux regarder aux choses que vous dites.

MONSIEUR JOURDAIN. Oui, impertinente, c'est Monsieur le Comte qui donne tout ceci à Madame, qui est une personne de qualité. Il me fait l'honneur de prendre ma maison, et de vouloir que je sois avec lui.

MADAME JOURDAIN. Ce sont des chansons que cela : je sais ce que je sais.

DORANTE. Prenez, Madame Jourdain, prenez de meilleures lunettes.

MADAME JOURDAIN. Je n'ai que faire de lunettes, Monsieur, et je vois assez clair ; il y a longtemps que je sens les choses, et je ne suis pas une bête. Cela est fort vilain à vous, pour un grand seigneur, de prêter la main comme vous faites aux sottises de

1 Mme Jourdain a vu en bas, dans l'entrée de la maison, le cortège conduit par Covielle.
2 *Festiner* : honorer en offrant un festin.
3 *Fantaisies* : folies, idées extravagantes.
4 *Régale* : repas somptueux offert à quelqu'un.

mon mari. Et vous, Madame, pour une grande Dame, cela n'est ni beau ni honnête à vous, de mettre de la dissension[1] dans un ménage, et de souffrir[2] que mon mari soit amoureux de vous.

DORIMÈNE. Que veut donc dire tout ceci ? Allez, Dorante, vous vous moquez, de m'exposer aux sottes visions[3] de cette extravagante.

DORANTE. Madame, holà ! Madame, où courez-vous[4] ?

MONSIEUR JOURDAIN. Madame ! Monsieur le Comte, faites-lui excuses, et tâchez de la ramener. Ah[5] ! impertinente que vous êtes ! voilà de vos beaux faits ; vous me venez faire des affronts devant tout le monde, et vous chassez de chez moi des personnes de qualité.

MADAME JOURDAIN. Je me moque de leur qualité.

MONSIEUR JOURDAIN. Je ne sais qui me tient[6], maudite, que je ne vous fende la tête avec les pièces du repas que vous êtes venue troubler.

On ôte la table.

MADAME JOURDAIN, *sortant.* Je me moque de cela. Ce sont mes droits que je défends, et j'aurai pour moi toutes les femmes.

MONSIEUR JOURDAIN. Vous faites bien d'éviter ma colère[7]. Elle est arrivée là bien malheureusement. J'étais en humeur de dire de jolies choses, et jamais je ne m'étais senti tant d'esprit. Qu'est-ce que c'est que cela ?

1 *Dissension* : désaccord, discorde.
2 *Souffrir* : tolérer, supporter.
3 *Visions* : idées folles.
4 Dorante sort pour suivre Dorimène.
5 M. Jourdain s'adresse maintenant à sa femme.
6 *Qui me tient* : ce qui me retient.
7 M. Jourdain s'adresse à sa femme qui se retire, puis demeure seul en scène.

SITUER

Coup de théâtre : le déjeuner raffiné, dont M. Jourdain rêvait de longue date, est gâché par l'arrivée intempestive de sa femme, furieuse de surprendre chez elle son mari en train de « *festiner* » Dorimène.

OBSERVER

Vocabulaire : ***La colère de l'épouse***

1. Relevez les termes et les expressions qui appartiennent au champ lexical (☞ p. 190) du reproche. Où apparaissent-ils surtout ?

2. À qui Mme Jourdain adresse-t-elle des reproches ?

Tons : ***De l'ironie à la gravité***

3. En reprenant ces éléments et en étudiant la ponctuation, montrez comment évolue le ton employé par Mme Jourdain au fil de la scène.

APPROFONDIR

Caractères : ***Une situation gênante***

4. En quoi M. Jourdain peut-il être gêné du comportement de sa femme devant des gens de qualité qui ont du savoir-vivre ?

5. Comment qualifier le comportement de Mme Jourdain, qui refuse d'écouter les explications et qui « *sent les choses* » ?

6. Que pensez-vous de la réaction de Dorimène ? Pourquoi se retire-t-elle ?

Stratégies : ***Une intervention doublement habile***

7. De quelle manière Dorante essaie-t-il de détourner le coup et de sauver la situation ? Que croient M. Jourdain et Dorimène quand il intervient ainsi ?

Société : ***Les devoirs du mari***

8. Mme Jourdain parle de ses droits, dans sa dernière réplique. En quoi son mari les a-t-il bafoués ?

Scène 3 : COVIELLE, *déguisé en voyageur,* MONSIEUR JOURDAIN, LAQUAIS

COVIELLE. Monsieur, je ne sais pas si j'ai l'honneur d'être connu de vous.

MONSIEUR JOURDAIN. Non, Monsieur.

COVIELLE. Je vous ai vu que vous n'étiez pas plus grand que cela.

MONSIEUR JOURDAIN. Moi !

COVIELLE. Oui, vous étiez le plus bel enfant du monde, et toutes les dames vous prenaient dans leurs bras pour vous baiser.

MONSIEUR JOURDAIN. Pour me baiser !

COVIELLE. Oui. J'étais grand ami de feu[1] Monsieur votre père.

MONSIEUR JOURDAIN. De feu Monsieur mon père !

COVIELLE. Oui. C'était un fort honnête gentilhomme.

MONSIEUR JOURDAIN. Comment dites-vous ?

COVIELLE. Je dis que c'était un fort honnête gentilhomme.

MONSIEUR JOURDAIN. Mon père !

COVIELLE. Oui.

MONSIEUR JOURDAIN. Vous l'avez fort connu ?

COVIELLE. Assurément.

MONSIEUR JOURDAIN. Et vous l'avez connu pour[2] gentilhomme ?

COVIELLE. Sans doute.

MONSIEUR JOURDAIN. Je ne sais donc pas comment le monde est fait.

COVIELLE. Comment ?

MONSIEUR JOURDAIN. Il y a de sottes gens qui me veulent dire qu'il a été marchand.

1 *Feu* : décédé, disparu.
2 *Pour gentilhomme* : comme étant gentilhomme.

COVIELLE. Lui marchand ! C'est pure médisance, il ne l'a jamais été. Tout ce qu'il faisait, c'est qu'il était fort obligeant[1], fort officieux[2] ; et comme il se connaissait fort bien en étoffes, il en allait choisir de tous les côtés, les faisait apporter chez lui, et en donnait à ses amis pour de l'argent.

MONSIEUR JOURDAIN. Je suis ravi de vous connaître, afin que vous rendiez ce témoignage-là, que mon père était gentilhomme.

COVIELLE. Je le soutiendrai devant tout le monde.

MONSIEUR JOURDAIN. Vous m'obligerez. Quel sujet vous amène ?

COVIELLE. Depuis avoir connu feu Monsieur votre père, honnête gentilhomme, comme je vous ai dit, j'ai voyagé par tout le monde.

MONSIEUR JOURDAIN. Par tout le monde !

COVIELLE. Oui.

MONSIEUR JOURDAIN. Je pense qu'il y a bien loin en ce pays-là.

COVIELLE. Assurément. Je ne suis revenu de tous mes longs voyages que depuis quatre jours ; et par l'intérêt que je prends à tout ce qui vous touche, je viens vous annoncer la meilleure nouvelle du monde.

MONSIEUR JOURDAIN. Quelle ?

COVIELLE. Vous savez que le fils du Grand Turc[3] est ici ?

MONSIEUR JOURDAIN. Moi ? Non.

COVIELLE. Comment ? il a un train[4] tout à fait magnifique ; tout le monde le va voir, et il a été reçu en ce pays comme un seigneur d'importance.

MONSIEUR JOURDAIN. Par ma foi ! je ne savais pas cela.

COVIELLE. Ce qu'il y a d'avantageux pour vous, c'est qu'il est amoureux de votre fille.

MONSIEUR JOURDAIN. Le fils du Grand Turc ?

1 *Obligeant* : aimable, serviable.
2 *Officieux* : qui cherche à rendre service.
3 *Grand Turc* : chef suprême des Turcs.
4 *Train* : ensemble de domestiques, de chevaux et de voitures.

COVIELLE. Oui ; et il veut être votre gendre.

MONSIEUR JOURDAIN. Mon gendre, le fils du Grand Turc !

COVIELLE. Le fils du Grand Turc votre gendre. Comme je le fus voir, et que j'entends parfaitement sa langue, il s'entretint avec moi ; et, après quelques autres discours, il me dit : *Acciam croc soler ouch alla moustaph gidelum amanahem varahini oussere carbulath,* c'est-à-dire : « N'as-tu point vu une jeune belle personne, qui est la fille de Monsieur Jourdain, gentilhomme parisien ? »

MONSIEUR JOURDAIN. Le fils du Grand Turc dit cela de moi ?

COVIELLE. Oui. Comme je lui eus répondu que je vous connaissais particulièrement, et que j'avais vu votre fille : « Ah ! me dit-il, *marababa sahem* » ; c'est-à-dire « Ah ! que je suis amoureux d'elle ! »

MONSIEUR JOURDAIN. *Marababa sahem* veut dire « Ah ! que je suis amoureux d'elle » ?

COVIELLE. Oui.

MONSIEUR JOURDAIN. Par ma foi ! vous faites bien de me le dire, car pour moi je n'aurais jamais cru que *marababa sahem* eût voulu dire : « Ah ! que je suis amoureux d'elle ! » Voilà une langue admirable que ce turc !

COVIELLE. Plus admirable qu'on ne peut croire. Savez-vous bien ce que veut dire *cacaracamouchen* ?

MONSIEUR JOURDAIN. *Cacaracamouchen ?* Non.

COVIELLE. C'est-à-dire : « Ma chère âme. »

MONSIEUR JOURDAIN. *Cacaracamouchen* veut dire « ma chère âme » ?

COVIELLE. Oui.

MONSIEUR JOURDAIN. Voilà qui est merveilleux ! *Cacaracamouchen,* « Ma chère âme. » Dirait-on jamais cela ? Voilà qui me confond.

COVIELLE. Enfin, pour achever mon ambassade[1], il vient vous demander votre fille en mariage ; et pour avoir un beau-père

1 *Ambassade* : mission.

Jacques Charon (MONSIEUR JOURDAIN) et Alain Pralon (COVIELLE) dans la mise en scène de Jean-Louis Barrault, la Comédie-Française aux Tuileries, 1972.

qui soit digne de lui, il veut vous faire *mamamouchi*[1], qui est une certaine grande dignité de son pays.

MONSIEUR JOURDAIN. *Mamamouchi ?*

COVIELLE. Oui, *Mamamouchi* ; c'est-à-dire, en notre langue, paladin[2]. Paladin, ce sont de ces anciens... Paladin enfin. Il n'y a rien de plus noble que cela dans le monde, et vous irez de pair avec les plus grands seigneurs de la terre.

MONSIEUR JOURDAIN. Le fils du Grand Turc m'honore beaucoup, et je vous prie de me mener chez lui pour lui faire mes remerciements.

COVIELLE. Comment ? le voilà qui va venir ici.

MONSIEUR JOURDAIN. Il va venir ici ?

COVIELLE. Oui ; et il amène toutes choses pour la cérémonie de votre dignité.

MONSIEUR JOURDAIN. Voilà qui est bien prompt.

COVIELLE. Son amour ne peut souffrir aucun retardement[3].

MONSIEUR JOURDAIN. Tout ce qui m'embarrasse ici, c'est que ma fille est une opiniâtre, qui s'est allée mettre dans la tête un certain Cléonte, et elle jure de n'épouser personne que celui-là.

COVIELLE. Elle changera de sentiment quand elle verra le fils du Grand Turc ; et puis il se rencontre ici une aventure merveilleuse, c'est que le fils du Grand Turc ressemble à ce Cléonte, à peu de chose près. Je viens de le voir, on me l'a montré ; et l'amour qu'elle a pour l'un, pourra passer aisément à l'autre, et... Je l'entends venir : le voilà.

1 *Mamamouchi* : mot inventé par Molière, selon le dictionnaire Littré, à partir de l'arabe *mà menou schi (pas bonne chose).*

2 *Paladin* est le nom donné, dans les romans de chevalerie, aux seigneurs qui suivaient Charlemagne. Mais les souvenirs littéraires de Covielle sont approximatifs.

3 *Retardement* : retard.

Scène 4 : CLÉONTE, *en Turc, avec trois pages portant sa veste*[1] MONSIEUR JOURDAIN, COVIELLE, *déguisé*

CLÉONTE. *Ambousahim oqui boraf, Iordina salamalequi*[2].

COVIELLE. C'est-à-dire : « Monsieur Jourdain, votre cœur soit toute l'année comme un rosier fleuri. » Ce sont façons de parler obligeantes de ces pays-là.

MONSIEUR JOURDAIN. Je suis très humble serviteur de Son Altesse Turque.

COVIELLE. *Carigar camboto oustin moraf.*

CLÉONTE. *Oustin yoc catamalequi basum base alla moran.*

COVIELLE. Il dit « que le Ciel vous donne la force des lions et la prudence des serpents ! »

MONSIEUR JOURDAIN. Son Altesse Turque m'honore trop, et je lui souhaite toutes sortes de prospérités.

COVIELLE. *Ossa binamen sadoc babally oracaf ouram.*

CLÉONTE. *Bel-men.*

COVIELLE. Il dit que vous alliez vite avec lui vous préparer pour la cérémonie, afin de voir ensuite votre fille, et de conclure le mariage.

MONSIEUR JOURDAIN. Tant de choses en deux mots ?

COVIELLE. Oui, la langue turque est comme cela, elle dit beaucoup en peu de paroles. Allez vite où il souhaite.

1 *Sa veste* : c'est, au XVIIe s., un long habit de dessous chez les Orientaux ; les pages en portent les pans comme une traîne.

2 Ces dialogues, inventés par Molière, ne contiennent que quelques mots qui rappellent l'arabe ou le turc. On sait qu'il a été conseillé par le chevalier d'Arvieux, qui parlait turc et connaissait les mœurs du pays. ☞ p. 166.

Scène 5 : DORANTE, COVIELLE

COVIELLE. Ha, ha, ha. Ma foi ! cela est tout à fait drôle. Quelle dupe ! Quand il aurait appris son rôle par cœur, il ne pourrait pas le mieux jouer[1]. Ah, ah. Je vous prie, Monsieur, de nous vouloir aider céans[2], dans une affaire qui s'y passe.

DORANTE. Ah, ah, Covielle, qui t'aurait reconnu ? Comme te voilà ajusté[3] !

COVIELLE. Vous voyez. Ah, ah !

DORANTE. De quoi ris-tu ?

COVIELLE. D'une chose, Monsieur, qui le mérite bien.

DORANTE. Comment ?

COVIELLE. Je vous le donnerais en bien des fois[4], Monsieur, à deviner le stratagème[5] dont nous nous servons auprès de Monsieur Jourdain, pour porter son esprit à donner sa fille à mon maître.

DORANTE. Je ne devine point le stratagème ; mais je devine qu'il ne manquera pas de faire son effet, puisque tu l'entreprends.

COVIELLE. Je sais, Monsieur, que la bête[6] vous est connue.

DORANTE. Apprends-moi ce que c'est.

COVIELLE. Prenez la peine de vous tirer[7] un peu plus loin, pour faire place à ce que j'aperçois venir. Vous pourrez voir une partie de l'histoire, tandis que je vous conterai le reste.

Six Turcs dansant entre eux gravement deux à deux, au son de tous les instruments. Ils portent trois tapis fort longs, dont ils font plusieurs figures, et, à la fin de cette première cérémonie, ils les lèvent fort haut ;

1 Jusque-là Covielle est seul ; puis il s'adresse à Dorante.
2 *Céans* : ici, dans la maison.
3 *Ajusté* : déguisé.
4 *Je vous le donnerais en bien des fois* : je vous mets au défi.
5 *Stratagème* : ruse, tour.
6 *La bête* : Covielle se désigne lui-même par ces mots (« vous me connaissez »).
7 *De vous tirer* : de vous retirer (cette forme n'est pas familière au XVIIe s.).

les Turcs musiciens, et autres joueurs d'instruments, passent par dessous ; quatre Derviches[1] *qui accompagnent le Mufti ferment cette marche.*

Alors les Turcs étendent les tapis par terre, et se mettent dessus à genoux ; le Mufti est debout au milieu, qui fait une invocation avec des contorsions et des grimaces, levant le menton, et remuant les mains contre sa tête, comme si c'était des ailes. Les Turcs se prosternent jusqu'à terre, chantant Alli, *puis se relèvent, chantant* Alla, *et continuant alternativement jusqu'à la fin de l'invocation ; puis ils se lèvent tous, chantant* Alla ekber[2].

Alors les Derviches amènent devant le Mufti le Bourgeois vêtu à la turque, rasé, sans turban, sans sabre, auquel il chante gravement ces paroles :

LE MUFTI

	[TRADUCTION]
Se ti sabir,	Si toi savoir,
Ti respondir ;	Toi répondre ;
Se non sabir,	Si toi ne pas savoir,
Tazir, tazir.	Te taire, te taire.
Mi star Mufti :	Moi être Mufti :
Ti qui star ti ?	Toi qui être, toi ?
Non intendir :	Pas entendre
Tazir, tazir.	Te taire, te taire.

Deux Derviches font retirer le Bourgeois. Le Mufti demande aux Turcs de quelle religion est le Bourgeois, et chante :

Dice, Turque, qui star quista,	Dis, Turc, qui être celui-ci,
Anabatista, anabatista ?	Anabaptiste , anabaptiste[3] ?

LES TURCS *répondent*

Ioc.	Non.

1 *Dervis* (ou *derviche*) : religieux musulman. – *Mufti* : chef de la religion musulmane, qui a des pouvoirs religieux (lecture et interprétation du Coran), mais aussi judiciaires (jugement dans des litiges).

2 Dans cette scène, les personnages vont s'exprimer dans un turc de fantaisie, qui ressemble en fait à une langue bâtarde que l'on parlait dans les ports de la Méditerranée : la langue franche. ☞ p. 170.

3 *Anabaptiste* : membre d'une secte protestante allemande.

	LE MUFTI
Zuinglista ?	Zwinglien[1] ?
	LES TURCS
Ioc.	Non.
	LE MUFTI
Coffita ?	Cophte[2] ?
	LES TURCS
Ioc.	Non.
	LE MUFTI
Hussita ? Morista ? [Fronista ?	Hussite ? Moriste[3] ? ...
	LES TURCS
Ioc. Ioc. Ioc.	Non. Non. Non.
	LE MUFTI *répète*
Ioc. Ioc. Ioc.	Non. Non. Non.
Star pagana ?	Être païen[4] ?
	LES TURCS
Ioc.	Non.
	LE MUFTI
Luterana ?	Luthérien[5] ?
	LES TURCS
Ioc.	Non.
	LE MUFTI
Puritana ?	Puritain[6] ?
	LES TURCS
Ioc.	Non.
	LE MUFTI
Bramina ? Moffina ? Zurina ?	Brahmane[7] ? ...

1 *Zwinglien* : disciple de Zwingli, fondateur d'une secte protestante au XVIe s.
2 *Cophte* (ou *copte*) : « nom que les mahométans donnent par mépris aux chrétiens et moines d'Égypte ». (Dic. de Furetière.)
3 *Hussite* : disciple de Jean Huss, réformateur tchèque de la fin du XIVe s. – *Moriste* : peut-être équivalent de *morisque*, more d'Espagne. On ignore le sens de *Fronista.*
4 *Païen* : qui ne croit pas en Dieu, impie.
5 Luther est le fondateur de l'église protestante.
6 *Puritain* : membre d'une communauté anglaise protestante.
7 *Brahmane* : membre d'une caste indoue. On ignore le sens de *Moffina* et de *Zurina.*

LES TURCS

Ioc. Ioc. Ioc. — Non. Non. Non.

LE MUFTI *répète*

Ioc. Ioc. Ioc. — Non. Non. Non.
Mahametana, Mahametana ? — Mahométan, mahométan ?

LES TURCS

Hey valla. Hey valla. — Oui par Dieu. Oui par Dieu.

LE MUFTI

Como chamara ? Como [chamara ? — Comment s'appelle-t-il ? *(bis)*

LES TURCS

Giourdina, Giourdina. — Jourdain, Jourdain.

LE MUFTI

Giourdina. — Jourdain.

LE MUFTI *sautant et regardant de côté et d'autre*

Giourdina ? Giourdina ? [Giourdina ? — Jourdain ? Jourdain ? Jourdain ?

LES TURCS

Giourdina ! Giourdina ! [Giourdina !

LE MUFTI

Mahameta per Giourdina — Mahomet, pour Jourdain,
Mi pregar sera e matina — Moi prier soir et matin
Voler far un Paladina — Vouloir faire un paladin[1]
De Giourdina, de Giourdina. — De Jourdain, de Jourdain.
Dar turbanta, e dar scarcina — Donner turban et donner sabre
Con galera e brigantina — Avec galère et brigantin[2]
Per deffender Palestina. — Pour défendre la Palestine.
Mahameta per Giourdina, etc. — Mahomet pour Jourdain, etc.

Après quoi, le Mufti demande aux Turcs si le Bourgeois est ferme dans la religion mahométane, et leur chante ces paroles :

LE MUFTI

Star bon Turca Giourdina ? (bis) — Être bon Turc, Jourdain ?

1 *Paladin* : seigneur de la suite d'un empereur.
2 *Brigantin* : navire à deux mâts de petit tonnage.

LES TURCS

Hey valla. Hey valla. (bis) Oui par Dieu. Oui par Dieu.

LE MUFTI *chante et danse*

Hu la ba ba la chou ba la ba ba la da.

Après que le Mufti s'est retiré, les Turcs dansent, et répètent ces mêmes paroles.

Hu la ba ba la chou ba la ba ba la da.

Le Mufti revient, avec son turban de cérémonie qui est d'une grosseur démesurée, garni de bougies allumées, à quatre ou cinq rangs.

Deux Derviches l'accompagnent, avec des bonnets pointus garnis aussi de bougies allumées, portant l'Alcoran[1] *: les deux autres Derviches amènent le Bourgeois, qui est tout épouvanté de cette cérémonie, et le font mettre à genoux le dos tourné au Mufti, puis, le faisant incliner jusques à mettre ses mains par terre, ils lui mettent l'Alcoran sur le dos, et le font servir de pupitre au Mufti, qui fait une invocation burlesque, fronçant le sourcil, et ouvrant la bouche, sans dire mot ; puis parlant avec véhémence, tantôt radoucissant sa voix, tantôt la poussant d'un enthousiasme à faire trembler, en se poussant les côtes avec les mains, comme pour faire sortir ses paroles frappant quelquefois les mains sur l'Alcoran, et tournant les feuillets avec précipitation, et finit enfin en levant les bras, et criant à haute voix :* Hou.

Pendant cette invocation, les Turcs assistants chantent Hou, hou, hou, *s'inclinant à trois reprises, puis se relèvent de même à trois reprises, en chantant* Hou, hou, hou, *et continuant alternativement pendant toute l'invocation du Mufti.*

Après que l'invocation est finie, les Derviches ôtent l'Alcoran de dessus le dos du Bourgeois, qui crie Ouf, *parce qu'il est las d'avoir été longtemps en cette posture, puis ils le relèvent.*

LE MUFTI *s'adressant au Bourgeois*

Ti non star furba ? Toi n'être pas fourbe ?

LES TURCS

No, no, no. Non. Non. Non.

1 *L'Alcoran* : le Coran.

LE MUFTI

Non star forfanta ?

N'être pas imposteur ?

LES TURCS

No, no, no.

Non. Non. Non.

LE MUFTI *aux Turcs*

Donar turbanta.
Donar turbanta.

Donner le turban. *(bis)*

Et s'en va.

Les Turcs répètent tout ce que dit le Mufti, et donnent en dansant et en chantant, le turban au Bourgeois.

LE MUFTI *revient et donne le sabre au Bourgeois*

Ti star nobile,
[non star fabola.
Pigliar schiabola.

Toi être noble,
[cela n'être pas une fable.
Prendre le sabre.

Puis il se retire.

Les Turcs répètent les mêmes mots, mettant tous le sabre à la main ; et six d'entre eux dansent autour du Bourgeois auquel ils feignent de donner plusieurs coups de sabre.

LE MUFTI *revient, et commande aux Turcs de bâtonner le Bourgeois, et chante ces paroles.*

Dara, dara, bastonara,
bastonara, bastonara.

Donnez, donnez bastonnade,
bastonnade, bastonnade.

Puis il se retire.

Les Turcs répètent les mêmes paroles, et donnent au Bourgeois plusieurs coups de bâton en cadence.

LE MUFTI *revient et chante*

Non tener honta :
Questa star l'ultima affronta.

N'avoir pas honte :
Ceci être le dernier affront.

Les Turcs répètent les mêmes vers

Le Mufti, au son de tous les instruments, recommence une invocation, appuyé sur ses Derviches : après toutes les fatigues de cette cérémonie, les Derviches le soutiennent par-dessous les bras avec respect, et tous les Turcs sautant dansant et chantant autour du Mufti, se retirent au son de plusieurs instruments à la turque.

SITUER

Ici commence la mascarade imaginée par Covielle, lui-même déguisé en Turc, pour tromper M. Jourdain.

OBSERVER

Vocabulaire : *La surprise et le ravissement (scène 3)*

1. Quelles sont les répliques de Covielle qui stupéfient M. Jourdain ? Pour quelles raisons précises ?

2. Prononcé par Covielle, le mot *« gentilhomme »* suscite plusieurs répliques avant que M. Jourdain n'enchaîne en demandant au « Turc » ce qu'il désire. Pourquoi est-ce si long ? Quel est l'intérêt théâtral de ce procédé ?

APPROFONDIR

Caractères : *Un mariage anoblissant (scène 3)*

3. Pourquoi M. Jourdain croit-il si vite ce que lui raconte Covielle ? Ne fait-il pas tout de même un bref commentaire de bon sens ? Quel est l'adjectif qui conviendrait pour le décrire ?

4. Comment pourrait-on qualifier l'expression de M. Jourdain dans la mise en scène de J.-L. Barrault (photo p. 121) ?

5. Pourquoi n'hésite-t-il pas à accorder la main de sa fille au fils du Grand Turc ? S'inquiète-t-il de ce qu'elle penserait de cette alliance ? De quel terme pourrait-on qualifier ce comportement ?

Stratégies : *La sainte alliance*

6. Citez tous les personnages qui unissent leurs efforts en faveur du mariage de Cléonte et Lucile.

7. Pourquoi est-il important que Dorante soit mis au courant de la mascarade par Covielle (sc. 5) ?

Genres : *La fantaisie de la comédie-ballet*

8. Avec la mise en place de la mascarade, la comédie évolue vers la farce, qui se caractérise par des grossissements et des exagérations plus marqués. Citez des effets comiques de mots, liés aux sonorités, à la traduction (sc. 3 et 4), et au sens (cérémonie turque).

9. Ne pourrait-on pas trouver condamnable le comportement de Cléonte et de Covielle ? Pourquoi n'est-ce pas l'avis du spectateur ?

Mise en scène : *La passion qui rend aveugle*

10. Que pensez-vous du costume de Covielle (photo p. 121) ? Pourquoi doit-il être plus fantaisiste que réaliste ? Comment interprétez-vous le jeu des regards ?

FAIRE LE POINT ⊛ ACTE IV

Caractères

1. Montrez que M. Jourdain s'enfonce progressivement dans sa folie.

2. Il est de plus en plus trompé mais de plus en plus heureux. Quelles sont les dispositions d'esprit du spectateur à son égard ?

L'art du théâtre

3. Alors que les affaires de Lucile et Cléonte vont mieux, grâce à l'alliance qui se fait en leur faveur, les projets amoureux de M. Jourdain semblent être passés au second plan ; pour quelles raisons ?

4. Étudiez les enchaînements entre l'acte IV et l'acte V, ainsi qu'entre les différentes scènes de l'acte IV. Quel en est l'effet sur le rythme de l'action ?

Genres

5. La mascarade, qui fait évoluer la comédie vers la farce, entraîne les personnages vers le monde de l'illusion et de la fantaisie : d'une part, les personnages s'amusent eux-mêmes à jouer une comédie à M. Jourdain (procédé du théâtre dans le théâtre), d'autre part la comédie-ballet permet d'introduire des intermèdes qui contribuent au sentiment d'ivresse général. En quoi cela forme-t-il un contraste avec les trois premiers actes de la pièce ?

6. Connaissez-vous une mascarade aussi bouffonne que la cérémonie turque, dans une pièce célèbre de la fin de la carrière de Molière ? Comparez ces deux intermèdes.

Acte V

Scène 1 : MADAME JOURDAIN, MONSIEUR JOURDAIN

MADAME JOURDAIN. Ah ! mon Dieu ! miséricorde ! Qu'est-ce que c'est donc que cela ? Quelle figure[1] ! Est-ce un momon que vous allez porter[2] ; et est-il temps d'aller en masque ? Parlez donc, qu'est-ce que c'est que ceci ? Qui vous a fagoté comme cela ?

MONSIEUR JOURDAIN. Voyez l'impertinente, de parler de la sorte à un *Mamamouchi* !

MADAME JOURDAIN. Comment donc ?

MONSIEUR JOURDAIN. Oui, il me faut porter du respect maintenant, et l'on vient de me faire *Mamamouchi*.

MADAME JOURDAIN. Que voulez-vous dire avec votre *Mamamouchi* ?

MONSIEUR JOURDAIN. *Mamamouchi*, vous dis-je. Je suis *Mamamouchi*.

MADAME JOURDAIN. Quelle bête est-ce là ?

MONSIEUR JOURDAIN. *Mamamouchi*, c'est-à-dire, en notre langue, Paladin.

MADAME JOURDAIN. Baladin[3] ! Êtes-vous en âge de danser des ballets ?

1 *Quelle figure* : quelle allure, quelle apparence.
2 Durant le carnaval, des gens masqués allaient de maison en maison proposer une partie de dés sans revanche, le *momon*. De là l'expression *porter le momon*.
3 *Baladin* : danseur de ballet, et aussi comédien ambulant.

MONSIEUR JOURDAIN. Quelle ignorante ! Je dis Paladin : c'est une dignité dont on vient de me faire la cérémonie.

MADAME JOURDAIN. Quelle cérémonie donc ?

MONSIEUR JOURDAIN. *Mahameta per Iordina.*

MADAME JOURDAIN. Qu'est-ce que cela veut dire ?

MONSIEUR JOURDAIN. *Iordina,* c'est-à-dire Jourdain.

MADAME JOURDAIN. Hé bien ! quoi, Jourdain ?

MONSIEUR JOURDAIN. *Voler far un Paladina de Iordina.*

MADAME JOURDAIN. Comment ?

MONSIEUR JOURDAIN. *Dar turbanta con galera.*

MADAME JOURDAIN. Qu'est-ce à dire cela ?

MONSIEUR JOURDAIN. *Per deffender Palestina.*

MADAME JOURDAIN. Que voulez-vous donc dire ?

MONSIEUR JOURDAIN. *Dara dara bastonara.*

MADAME JOURDAIN. Qu'est-ce donc que ce jargon-là ?

MONSIEUR JOURDAIN. *Non tener honta : questa star l'ultima affronta.*

MADAME JOURDAIN. Qu'est-ce que c'est donc que tout cela ?

MONSIEUR JOURDAIN *danse et chante. Hou la ba ba la chou ba la ba ba la da (et tombe par terre).*

MADAME JOURDAIN. Hélas, mon Dieu ! mon mari est devenu fou.

MONSIEUR JOURDAIN, *se relevant et s'en allant.* Paix ! insolente, portez respect à Monsieur le *Mamamouchi*[1].

MADAME JOURDAIN. Où est-ce qu'il a donc perdu l'esprit ? Courons l'empêcher de sortir. Ah, ah ! Voici justement le reste de notre écu[2]. Je ne vois que chagrin de tous côtés.

Elle sort.

1 M. Jourdain se retire.

2 *Le reste de notre écu* : le comble de notre malheur (Mme Jourdain aperçoit Dorante et Dorimène qu'elle n'aime pas). « Quand on voit venir un importun en une compagnie, on dit : *voilà le reste de notre écu* ». (Dict. de Furetière, 1690.)

SITUER

Mme Jourdain retrouve son mari transfiguré par son nouveau titre de « *Mamamouchi* ».

OBSERVER

Tons : ***La supériorité du Mamamouchi***

1. À quels signes voit-on que M. Jourdain se sent supérieur à son épouse ? Illustrez votre réponse.

2. À quel moment M. Jourdain renonce-t-il à donner des explications à sa femme ? Pour quelle raison le fait-il ?

APPROFONDIR

Caractères : ***Le noble et la bourgeoise***

3. Par quel malentendu Molière montre-t-il le fossé qui sépare maintenant le « nouveau noble » de son épouse ?

4. Mme Jourdain a-t-elle changé d'attitude envers son mari ? Justifiez votre réponse.

5. Pourquoi M. Jourdain continue-t-il de répéter des phrases turques prononcées lors de la cérémonie, alors que son épouse n'y comprend rien ?

L'art du théâtre : ***Comique de caractère, de situation, de mots***

6. Illustrez les différentes formes du comique de la scène.

Mise en scène : ***Faire le Mamamouchi***

7. Vous êtes metteur en scène et vous donnez à l'acteur qui joue M. Jourdain des indications sur la contenance et l'attitude qu'il doit adopter dans la seconde partie de la scène.

Scène 2 : DORANTE, DORIMÈNE

DORANTE. Oui, Madame, vous verrez la plus plaisante chose qu'on puisse voir ; et je ne crois pas que dans tout le monde il soit possible de trouver encore un homme aussi fou que celui-là. Et puis, Madame, il faut tâcher de servir l'amour de Cléonte, et d'appuyer toute sa mascarade : c'est un fort galant homme, et qui mérite que l'on s'intéresse pour lui[1].

DORIMÈNE. J'en fais beaucoup de cas, et il est digne d'une bonne fortune[2].

DORANTE. Outre cela, nous avons ici, Madame, un ballet qui nous revient, que nous ne devons pas laisser perdre, et il faut bien voir si mon idée pourra réussir.

DORIMÈNE. J'ai vu là des apprêts magnifiques, et ce sont des choses, Dorante, que je ne puis plus souffrir. Oui, je veux enfin vous empêcher vos profusions ; et, pour rompre le cours à toutes les dépenses que je vous vois faire pour moi, j'ai résolu de me marier promptement avec vous : c'en est le vrai secret, et toutes ces choses finissent avec le mariage.

DORANTE. Ah ! Madame, est-il possible que vous ayez pu prendre pour moi une si douce résolution ?

DORIMÈNE. Ce n'est que pour vous empêcher de vous ruiner ; et, sans cela, je vois bien qu'avant qu'il fût peu, vous n'auriez pas un sou.

DORANTE. Que j'ai d'obligation, Madame, aux soins que vous avez de conserver mon bien ! Il est entièrement à vous, aussi bien que mon cœur, et vous en userez de la façon qu'il vous plaira.

DORIMÈNE. J'userai bien de tous les deux. Mais voici votre homme ; la figure[3] en est admirable.

1 *Que l'on s'intéresse pour lui* : qu'on l'aide dans son entreprise.
2 *D'une bonne fortune* : d'avoir un sort heureux.
3 *Figure* : apparence.

Scène 3 : MONSIEUR JOURDAIN, DORANTE, DORIMÈNE

DORANTE. Monsieur, nous venons rendre hommage, Madame et moi, à votre nouvelle dignité, et nous réjouir avec vous du mariage que vous faites de votre fille avec le fils du Grand Turc.

MONSIEUR JOURDAIN, *après avoir fait les révérences à la turque*[1]. Monsieur, je vous souhaite la force des serpents et la prudence des lions.

DORIMÈNE. J'ai été bien aise d'être des premières, Monsieur, à venir vous féliciter du haut degré de gloire où vous êtes monté.

MONSIEUR JOURDAIN. Madame, je vous souhaite toute l'année votre rosier fleuri ; je vous suis infiniment obligé de prendre part aux honneurs qui m'arrivent, et j'ai beaucoup de joie de vous voir revenue ici pour vous faire les très humbles excuses de l'extravagance de ma femme.

DORIMÈNE. Cela n'est rien, j'excuse en elle un pareil mouvement ; votre cœur lui doit être précieux, et il n'est pas étrange que la possession d'un homme comme vous puisse inspirer quelques alarmes.

MONSIEUR JOURDAIN. La possession de mon cœur est une chose qui vous est toute acquise.

DORANTE. Vous voyez, Madame, que Monsieur Jourdain n'est pas de ces gens que les prospérités aveuglent, et qu'il sait, dans sa gloire, connaître encore ses amis.

DORIMÈNE. C'est la marque d'une âme tout à fait généreuse.

DORANTE. Où est donc Son Altesse Turque ? Nous voudrions bien, comme vos amis, lui rendre nos devoirs.

MONSIEUR JOURDAIN. Le voilà qui vient, et j'ai envoyé quérir ma fille pour lui donner la main[2].

1 *Faire la révérence à la turque* consistait à se toucher de la main droite la bouche et le front avant de s'incliner.
2 *Donner la main* : geste qui engage la parole de celui qui le fait ; il équivaut ici à promettre le mariage.

Scène 4 : CLÉONTE, *habillé en Turc*, COVIELLE, MONSIEUR JOURDAIN, *etc.*

DORANTE. Monsieur, nous venons faire la révérence à Votre Altesse, comme amis de Monsieur votre beau-père, et l'assurer avec respect de nos très humbles services.

MONSIEUR JOURDAIN. Où est le truchement[1], pour lui dire qui vous êtes, et lui faire entendre ce que vous dites ? Vous verrez qu'il vous répondra, et il parle turc à merveille. Holà ! où diantre est-il allé ? *(À Cléonte.) Strouf, strif, strof, straf.* Monsieur est un *grande segnore, grande segnore, grande segnore* ; et Madame une *granda dama, granda dama. Ahi,* lui, Monsieur, lui *Mamamouchi* français, et Madame *Mamamouchie* française : je ne puis pas parler plus clairement. Bon, voici l'interprète. Où allez-vous donc ? Nous ne saurions rien dire sans vous. Dites-lui un peu que Monsieur et Madame sont des personnes de grande qualité[2], qui lui viennent faire la révérence, comme mes amis, et l'assurer de leurs services. Vous allez voir comme il va répondre[3].

COVIELLE. *Alabala crociam acci boram alabamen.*

CLÉONTE. *Catalequi tubal ourin soter amalouchan.*

MONSIEUR JOURDAIN. Voyez-vous[4] ?

COVIELLE. Il dit que la pluie des prospérités arrose en tout temps le jardin de votre famille !

MONSIEUR JOURDAIN. Je vous l'avais bien dit, qu'il parle turc.

DORANTE. Cela est admirable.

1 *Truchement* : interprète.
2 *De grande qualité* : de haute noblesse. ☞ p. 189.
3 Cette dernière phrase est adressée à Dorimène et à Dorante.
4 Cette phrase est adressée à Dorimène et à Dorante.

SITUER

Dorimène accepte finalement d'épouser Dorante, et se rend avec lui chez M. Jourdain.

OBSERVER

Tons : ***L'ironie de la marquise***

1. Citez les répliques de Dorimène montrant qu'elle est quelque peu ironique à l'égard du bourgeois (sc. 3).

Style : ***Métaphores en folie***

2. La métaphore est un procédé qui consiste à employer, à propos d'une chose ou d'une idée, un terme qui convient à une autre chose ou à une autre idée, à condition qu'il y ait une analogie entre eux. Relevez les métaphores dans les deux premières répliques de M. Jourdain. À quoi renvoient-elles et pourquoi sont-elles comiques ?

APPROFONDIR

Caractères : ***L'aisance d'une personne de qualité***

3. Comparez la révérence à la turque de M. Jourdain à celle qu'il a faite à Dorimène (III, 16). De même, rapprochez le compliment turc qu'il lui adresse ici de celui qu'il avait tenté de faire auparavant (III, 16, l. 8 à 14) ; bien que le personnage soit toujours aussi ridicule, n'est-il pas plus à l'aise dans sa nouvelle dignité ? Justifiez votre réponse.

4. En quoi le bourgeois est-il particulièrement grotesque quand il se met à vouloir parler turc ? S'agit-il d'un comique de mots ou de caractère ?

L'art du théâtre : ***Une seconde chance pour M. Jourdain***

5. Pour quelles raisons Dorimène revient-elle chez M. Jourdain (sc. 2) ?

6. Quelle révélation, dangereuse pour son amour, Dorante pouvait-il craindre ? En quoi la scène 2 éloigne-t-elle ce danger ? Quel intérêt cela présente-t-il pour la pièce ?

Scène 5 : LUCILE, MONSIEUR JOURDAIN, DORANTE, DORIMÈNE, *etc.*

MONSIEUR JOURDAIN. Venez, ma fille, approchez-vous, et venez donner votre main à Monsieur, qui vous fait l'honneur de vous demander en mariage.

LUCILE. Comment, mon père, comme vous voilà fait ! est-ce une comédie que vous jouez ?

MONSIEUR JOURDAIN. Non, non, ce n'est pas une comédie, c'est une affaire fort sérieuse, et la plus pleine d'honneur pour vous qui se peut souhaiter. Voilà le mari que je vous donne[1].

LUCILE. À moi, mon père ?

MONSIEUR JOURDAIN. Oui, à vous : allons, touchez-lui dans la main[2], et rendez grâce au Ciel de votre bonheur.

LUCILE. Je ne veux point me marier.

MONSIEUR JOURDAIN. Je le veux, moi qui suis votre père.

LUCILE. Je n'en ferai rien.

MONSIEUR JOURDAIN. Ah ! que de bruit ! Allons, vous dis-je. Çà votre main.

LUCILE. Non, mon père, je vous l'ai dit, il n'est point de pouvoir qui me puisse obliger à prendre un autre mari que Cléonte ; et je me résoudrai plutôt à toutes les extrémités, que de... *(Reconnaissant Cléonte.)* Il est vrai que vous êtes mon père, je vous dois entière obéissance, et c'est à vous à disposer de moi selon vos volontés.

MONSIEUR JOURDAIN. Ah ! je suis ravi de vous voir si promptement revenue dans votre devoir, et voilà qui me plaît, d'avoir une fille obéissante.

1 M. Jourdain montre Cléonte, déguisé en fils du Grand Turc.
2 *Touchez-lui dans la main* : en signe de consentement et d'accord.

Scène dernière : MADAME JOURDAIN, MONSIEUR JOURDAIN, CLÉONTE, *etc.*

MADAME JOURDAIN. Comment donc ? qu'est-ce que c'est que ceci ? On dit que vous voulez donner votre fille en mariage à un carême-prenant[1].

MONSIEUR JOURDAIN. Voulez-vous vous taire, impertinente ? Vous venez toujours mêler vos extravagances à toutes choses, et il n'y a pas moyen de vous apprendre à être raisonnable.

MADAME JOURDAIN. C'est vous qu'il n'y a pas moyen de rendre sage, et vous allez de folie en folie. Quel est votre dessein, et que voulez-vous faire avec cet assemblage[2] ?

MONSIEUR JOURDAIN. Je veux marier notre fille avec le fils du Grand Turc.

MADAME JOURDAIN. Avec le fils du Grand Turc !

MONSIEUR JOURDAIN. Oui, faites-lui faire vos compliments par le truchement que voilà.

MADAME JOURDAIN. Je n'ai que faire du truchement, et je lui dirai bien moi-même à son nez qu'il n'aura point ma fille.

MONSIEUR JOURDAIN. Voulez-vous vous taire, encore une fois ?

DORANTE. Comment, Madame Jourdain, vous vous opposez à un bonheur comme celui-là ? Vous refusez Son Altesse Turque pour gendre ?

MADAME JOURDAIN. Mon Dieu, Monsieur, mêlez-vous de vos affaires.

DORIMÈNE. C'est une grande gloire, qui n'est pas à rejeter.

MADAME JOURDAIN. Madame, je vous prie aussi de ne vous point embarrasser de ce qui ne vous touche pas.

1 *Carême-prenant* : « on appelle ordinairement des carême-prenants ceux qui courent en masques mal habillés dans les rues pendant les jours gras [Carnaval]. On dit encore d'une personne vêtue d'une manière extravagante que *c'est un vrai carême-prenant* ». (Dict. de l'Académie, 1694.)

2 *Assemblage* : terme inhabituel et méprisant, à la place d'*union*.

Béatrice Bretty (**N**ICOLE), Jeanne Moreau (**L**UCILE), Andrée de Chauveron (**M**ADAME **J**OURDAIN), Jean Meyer (**C**OVIELLE), Louis Seigner (**M**ONSIEUR **J**OURDAIN), Jean Piat (**C**LÉONTE), Maurice Escande (**D**ORANTE), Marie Sabouret (**D**ORIMÈNE) dans la mise en scène de Jean Meyer, Comédie-Française, 1951.

DORANTE. C'est l'amitié que nous avons pour vous qui nous fait intéresser dans vos avantages[1].

MADAME JOURDAIN. Je me passerai bien de votre amitié.

DORANTE. Voilà votre fille qui consent aux volontés de son père.

MADAME JOURDAIN. Ma fille consent à épouser un Turc ?

DORANTE. Sans doute.

MADAME JOURDAIN. Elle peut oublier Cléonte ?

DORANTE. Que ne fait-on pas pour être grand'dame ?

MADAME JOURDAIN. Je l'étranglerais de mes mains, si elle avait fait un coup comme celui-là.

MONSIEUR JOURDAIN. Voilà bien du caquet. Je vous dis que ce mariage-là se fera.

MADAME JOURDAIN. Je vous dis, moi, qu'il ne se fera point.

MONSIEUR JOURDAIN. Ah ! que de bruit !

LUCILE. Ma mère...

MADAME JOURDAIN. Allez, vous êtes une coquine.

MONSIEUR JOURDAIN. Quoi ? Vous la querellez de ce qu'elle m'obéit ?

MADAME JOURDAIN. Oui : elle est à moi, aussi bien qu'à vous.

COVIELLE. Madame...

MADAME JOURDAIN. Que me voulez-vous conter, vous ?

COVIELLE. Un mot.

MADAME JOURDAIN. Je n'ai que faire de votre mot.

COVIELLE, *à M. Jourdain.* Monsieur, si elle veut écouter une parole en particulier, je vous promets de la faire consentir à ce que vous voulez.

MADAME JOURDAIN. Je n'y consentirai point.

COVIELLE. Écoutez-moi seulement.

MADAME JOURDAIN. Non.

1 *Qui nous fait... avantages* : qui nous pousse à nous intéresser à ce qui est avantageux pour vous.

MONSIEUR JOURDAIN. Écoutez-le.

MADAME JOURDAIN. Non, je ne veux pas l'écouter.

MONSIEUR JOURDAIN. Il vous dira...

MADAME JOURDAIN. Je ne veux point qu'il me dise rien.

MONSIEUR JOURDAIN. Voilà une grande obstination de femme ! Cela vous fera-t-il mal, de l'entendre ?

COVIELLE. Ne faites que m'écouter ; vous ferez après ce qu'il vous plaira.

MADAME JOURDAIN. Hé bien ! quoi ?

COVIELLE, *à part.* Il y a une heure, Madame, que nous vous faisons signe. Ne voyez-vous pas bien que tout ceci n'est fait que pour nous ajuster aux visions de votre mari, que nous l'abusons sous ce déguisement, et que c'est Cléonte lui-même qui est le fils du Grand Turc ?

MADAME JOURDAIN. Ah, ah !

COVIELLE. Et moi Covielle qui suis le truchement[1] ?

MADAME JOURDAIN. Ah ! comme cela, je me rends.

COVIELLE. Ne faites pas semblant de rien[2].

MADAME JOURDAIN. Oui, voilà qui est fait, je consens au mariage[3].

MONSIEUR JOURDAIN. Ah ! voilà tout le monde raisonnable. Vous ne vouliez pas l'écouter. Je savais bien qu'il vous expliquerait ce que c'est que le fils du Grand Turc.

MADAME JOURDAIN. Il me l'a expliqué comme il faut, et j'en suis satisfaite. Envoyons quérir un notaire.

DORANTE. C'est fort bien dit. Et afin, Madame Jourdain, que vous puissiez avoir l'esprit tout à fait content, et que vous perdiez aujourd'hui toute la jalousie que vous pourriez avoir conçue de Monsieur votre mari, c'est que nous nous servirons du même notaire pour nous marier, Madame et moi.

1 Covielle prononce aussi cette phrase en aparté, et Mme Jourdain répond de même.
2 *Ne faites... rien* : faites comme si de rien n'était.
3 Mme Jourdain parle maintenant à haute voix.

MADAME JOURDAIN. Je consens aussi à cela.

MONSIEUR JOURDAIN. C'est pour lui faire accroire[1].

DORANTE. Il faut bien l'amuser avec cette feinte.

MONSIEUR JOURDAIN. Bon, bon. Qu'on aille quérir le notaire.

DORANTE. Tandis qu'il viendra, et qu'il dressera les contrats, voyons notre ballet, et donnons-en le divertissement à Son Altesse Turque.

MONSIEUR JOURDAIN. C'est fort bien avisé : allons prendre nos places.

MADAME JOURDAIN. Et Nicole ?

MONSIEUR JOURDAIN. Je la donne au truchement ; et ma femme à qui la voudra.

COVIELLE. Monsieur, je vous remercie. Si l'on en peut voir un plus fou, je l'irai dire à Rome[2].

La comédie finit par un petit ballet qui avait été préparé.

1 *Lui faire accroire* : la berner, la tromper. – Dorante répond aussi en aparté.
2 Cette expression était proverbiale ; Covielle la prononce en aparté.

SITUER

Selon la tradition, tous les personnages sont réunis sur scène pour la fin de la pièce, mais tous ne sont pas au courant de la mascarade et de l'identité du fils du Grand Turc. C'est encore une scène de « théâtre dans le théâtre », puisque les uns jouent la comédie aux autres.

OBSERVER

L'art du théâtre : *La coalition*

1. Comparez les répliques de Lucile (sc. 5, l. 4 à 22) à celles de sa mère (sc. 6, l. 1 à 73). Quelles sont leurs points communs ? Qu'en déduisez-vous ?

2. À qui M. Jourdain s'adresse-t-il dans sa réplique : *« C'est pour lui faire accroire. »* Quelle est l'utilité dramatique (☞ p. 190) de son aveuglement ?

Tons : *La méfiance distante*

3. Relevez les indices qui révèlent le ton de Mme Jourdain, quand elle s'adresse à Dorante et à Dorimène (sc. 6). Pourquoi adopte-t-elle ce ton ? Quel effet produit l'intervention de ces deux personnages ?

APPROFONDIR

Société : *Le pouvoir du père de famille*

4. Bien que Lucile prétende qu'*« il n'est point de pouvoir »* qui puisse l'obliger à épouser quelqu'un qu'elle n'a pas choisi, est-il vraisemblable, au XVIIe siècle, qu'une fille résiste aux volontés de son père ? Citez d'autres pièces de Molière où ce problème est évoqué.

5. Que révèle le décor (photo p. 141) quant à la situation sociale de M. Jourdain ?

Caractères : *Aveuglé par son idée fixe*

6. M. Jourdain ne s'étonne pas beaucoup du revirement inattendu de sa fille (sc. 5) et de sa femme (sc. 6). Comment l'expliquez-vous ? Citez une scène précédente où il a déjà admis bien vite quelque chose d'invraisemblable.

L'art du théâtre : *Le dénouement*

7. Un critique, Ch. Mauron, pense que la comédie représente un *« monde inversé »* par rapport au réel, car souvent la jeunesse, l'amour et la ruse triomphent de la vieillesse et de l'autorité paternelle. En quoi le dénouement de cette pièce est-il l'inverse de ce qui se serait passé dans la réalité ?

8. Pourquoi l'exclamation de M. Jourdain (sc. 6, l. 74) est-elle particulièrement drôle ?

9. Cette dernière scène contient des effets comiques variés ; citez des exemples de comique de caractère et de situation.

Mise en scène : *Le jeu des apartés*

10. Pourquoi est-il indispensable, dans la scène finale, que M. Jourdain soit au centre du plateau ? Observez bien la photo p. 141 pour répondre.

11. Comparez la disposition des personnages sur cette photo avec la distribution (p. 18-19) : qu'est-ce qui a changé, depuis le début de la pièce, dans les relations et le regroupement des personnages ?

Ballet des nations

PREMIÈRE ENTRÉE

Un homme vient donner les livres du ballet[1]*, qui d'abord est fatigué*[2] *par une multitude de gens de provinces différentes, qui crient en musique pour en avoir, et par trois importuns, qu'il trouve toujours sur ses pas.*

DIALOGUE DES GENS

qui en musique demandent des livres.

TOUS

À moi, Monsieur, à moi de grâce, à moi, Monsieur :
Un livre, s'il vous plaît, à votre serviteur.

HOMME DU BEL AIR[3]

Monsieur, distinguez-nous parmi les gens qui crient.
Quelques livres ici, les dames vous en prient.

AUTRE HOMME DU BEL AIR

Holà ! Monsieur, Monsieur, ayez la charité
D'en jeter de notre côté.

FEMME DU BEL AIR

Mon Dieu ! qu'aux personnes bien faites[4]
On sait peu rendre honneur céans[5]*.*

AUTRE FEMME DU BEL AIR

Ils n'ont des livres et des bancs
Que pour Mesdames les grisettes[6]*.*

GASCON

Aho ! l'homme aux libres, qu'on m'en vaille[7] *!*

---

1 Lors des représentations, on distribuait des livrets qui permettaient aux spectateurs de mieux suivre le ballet.
2 *Qui d'abord est fatigué* : qui est immédiatement importuné.
3 *Du bel air* : aux manières raffinées, qui est à la mode.
4 *Bien faites* : de la bonne société, distinguées.
5 *Céans* : ici.
6 *Grisettes* : femmes de basse condition sociale.
7 Dans le propos du Gascon, le *v* est souvent mis pour un *b*. (*Bailler* : donner.) Chez le Suisse, ce sera le *f* pour le *v*.

J'ai déjà lé poumon usé.
Bous boyez qué chacun mé raille ;
Et jé suis escandalisé
De boir és mains dé la canaille
Cé qui m'est par bous refusé.

AUTRE GASCON

Eh cadédis ! Monseu, boyez qui l'on pût être :
Un libret, je bous prie, au varon d'Asbarat.
Jé pense, mordy, qué lé fat
N'a pas l'honnur dé mé connaître.

LE SUISSE

Mon'-sieur le donneur de papieir,
Que veul dir sti façon de fifre ?
Moy l'écorchair tout mon gosieir
À crieir,
Sans que je pouvre afoir ein lifre :
Pardy, mon foi ! Mon'-sieur, je pense fous l'être ifre.

VIEUX BOURGEOIS BABILLARD

De tout ceci, franc et net,
Je suis mal satisfait ;
Et cela sans doute est laid,
Que notre fille,
Si bien faite et si gentille,
De tant d'amoureux l'objet,
N'ait pas à son souhait
Un livre de ballet,
Pour lire le sujet
Du divertissement qu'on fait,
Et que toute notre famille
Si proprement s'habille,
Pour être placée au sommet
De la salle, où l'on met
Les gens de Lantriguet :
De tout ceci, franc et net,
Je suis mal satisfait,
Et cela sans doute est laid.

VIEILLE BOURGEOISE BABILLARDE

Il est vrai que c'est une honte,
Le sang au visage me monte,
Et ce jeteur de vers qui manque au capital[1]
L'entend fort mal ;
C'est un brutal,
Un vrai cheval,
Franc animal,
De faire si peu de compte
D'une fille qui fait l'ornement principal
Du quartier du Palais-Royal,
Et que ces jours passés un comte
Fut prendre la première au bal.
Il l'entend mal ;
C'est un brutal,
Un vrai cheval,
Franc animal.

HOMMES ET FEMMES DU BEL AIR

Ah ! quel bruit !
Quel fracas !
Quel chaos !
Quel mélange !
Quelle confusion !
Quelle cohue étrange !
Quel désordre !
Quel embarras !
On y sèche.
L'on n'y tient pas.

GASCON

Bentré ! jé suis à vout.

AUTRE GASCON

J'enrage, Diou mé damne !

SUISSE

Ah que ly faire saif dans sty sal de cians !

1 *Au capital* : à l'essentiel.

GASCON

Jé murs.

AUTRE GASCON

Jé perds la tramontane[1].

SUISSE

Mon foi ! moi le foudrais être hors de dedans.

VIEUX BOURGEOIS BABILLARD

Allons, ma mie,
Suivez mes pas,
Je vous en prie,
Et ne me quittez pas :
On fait de nous trop peu de cas,
Et je suis las
De ce tracas :
Tout ce fatras,
Cet embarras
Me pèse par trop sur les bras.
S'il me prend jamais envie
De retourner de ma vie
À ballet ni comédie,
Je veux bien qu'on m'estropie.
Allons, ma mie,
Suivez mes pas,
Je vous en prie,
Et ne me quittez pas ;
On fait de nous trop peu de cas.

VIEILLE BOURGEOISE BABILLARDE

Allons, mon mignon, mon fils[2]*,*
Regagnons notre logis,
Et sortons de ce taudis,
Où l'on ne peut être assis :
Ils seront bien ébaubis[3]

1 *Je perds la tramontane* : je ne sais plus où je suis (en plus du vent du nord, la tramontane désigne l'étoile polaire qui permet aux marins de connaître leur position).
2 *Mon fils* : terme affectueux adressé à son mari.
3 *Ébaubis* : surpris.

Quand ils nous verront partis.
Trop de confusion règne dans cette salle,
Et j'aimerais mieux être au milieu de la Halle.
Si jamais je reviens à semblable régale[1],
Je veux bien recevoir des soufflets plus de six.
Allons, mon mignon, mon fils,
Regagnons notre logis,
Et sortons de ce taudis,
Où l'on ne peut être assis.

TOUS

À moi, Monsieur, à moi de grâce, à moi, Monsieur :
Un livre, s'il vous plaît, à votre serviteur.

SECONDE ENTRÉE

Les trois importuns dansent.

TROISIÈME ENTRÉE

TROIS ESPAGNOLS *chantent*

Sé que me muero de amor,
Y solicito el dolor.

Je sais que je meurs d'amour,
Et je recherche cette douleur.

Aun muriendo de querer,
De tañ buen ayre adolezco,
Que es mas de lo que padezco
Lo que quiero padecer,
Y no pudiendo exceder
A mi deseo el rigor.

Quoique mourant de désir,
Je dépéris de si bon air
Que ce que je veux souffrir
Est plus que ce que je souffre,
Cette souffrance ne pouvant
Excéder mon désir.

Sé que me muero de amor,
Y solicito el dolor.

Je sais que je meurs d'amour
Et je recherche cette douleur.

Lisonxeame la suerte
Con piedad tan advertida,
Que me assegura la vida
En el riesgo de la muerte.
Vivir de su golpe fuerte

Le sort me flatte
Avec une pitié si attentive,
Qu'il me donne la vie
Dans le danger de la mort.
Vivre de son coup violent

1 *Régale* : repas somptueux offert à quelqu'un.

Es de mi salud primor.	Est le prodige de mon salut.
Sé que, etc.	Je sais que, etc.

Six Espagnols dansent

TROIS MUSICIENS ESPAGNOLS

Ay ! que locura, con tanto rigor	Ah ! quelle folie, avec tant [de rigueur
Quexarse de Amor,	De se plaindre de l'Amour,
Del niño bonito	De ce charmant enfant
Que todo es dulçura !	Qui n'est que douceur !
Ay ! que locura !	Ah ! quelle folie !
Ay ! que locura !	Ah ! quelle folie !

ESPAGNOL, *chantant*

El dolor solicita	La douleur tourmente
El que al dolor se da ;	Celui qui s'abandonne [à la douleur ;
Y nadie de amor muere,	Et personne ne meurt d'amour,
Sino quien no save amar.	Hormis celui qui ne sait [pas aimer.

DEUX ESPAGNOLS

Dulce muerte es el amor	Douce mort que l'amour
Con correspondencia ygual ;	Quand il est partagé ;
Y si esta gozamos o,	Et si nous en jouissons [aujourd'hui,
Porque la quieres turbar ?	Pourquoi la veux-tu troubler ?

UN ESPAGNOL

Alegrese enamorado,	Que l'amant se réjouisse,
Y tome mi parecer ;	Et qu'il suive mon exemple ;
Que en esto de querer,	Car dans l'amour,
Todo es hallar el vado.	Le tout est de trouver [la manière d'aimer.

TOUS TROIS *ensemble*

Vaya, vaya de fiestas !	Allons, allons, des fêtes !
Vaya de vayle !	Allons, de la danse !
Alegria, alegria, alegria !	Joie, joie, joie !
Que esto de dolor es fantasia.	Car la douleur [n'est qu'une illusion.

QUATRIÈME ENTRÉE

ITALIENS

UNE MUSICIENNE ITALIENNE

fait le premier récit, dont voici les paroles

Di rigori armata il seno,	Ayant armé mon sein [de rigueur,
Contro amor mi ribellai ;	Contre l'amour je me révoltai ;
Ma fui vinta in un baleno	Mais je fus vaincue en un [clin d'œil
In mirar duo vaghi rai ;	En regardant deux beaux yeux ;
Ahi ! che resiste puoco	Ah ! qu'un cœur de glace
Cor di gelo a stral di fuoco !	Résiste peu à une flèche de feu !
Ma si caro è'l mio tormento,	Mais mon tourment m'est [si cher,
Dolce è sí la piaga mia,	Et ma plaie si douce,
Ch'il penare è'l mio contento,	Que ma souffrance fait [mon bonheur,
E'l sanarmi è tirannia.	Et me guérir serait une tyrannie.
Ahi ! che più giova e piace,	Ah ! plus l'amour est vif,
Quanto amor è più vivace !	Plus il y a de joie et de plaisir !

Après l'air que la Musicienne a chanté, deux Scaramouches, deux Trivelins et un Arlequin[1] *représentent une nuit à la manière des comédiens italiens, en cadence.*

Un Musicien italien se joint à la Musicienne italienne, et chante avec elle les paroles qui suivent :

LE MUSICIEN ITALIEN

Bel tempo che vola	Le beau temps qui s'envole
Rapisce il contento ;	Ravit le plaisir ;
D'Amor nella scola	À l'école de l'Amour
Si coglie il momento.	On cueille l'instant.

1 *Scaramouche, Trivelin* et *Arlequin* sont des personnages de la comédie italienne.

LA MUSICIENNE

Insin che florida
Ride l'età,
Che pur tropp' orrida
Da noi sen và.

Tant que l'âge fleuri
Nous sourit,
L'âge qui, trop vite
S'enfuit.

TOUS DEUX

Sù cantiamo,
Sù godiamo
Né bei dì di gioventù :
Perduto ben non si racquista [più.

Chantons,
Jouissons
Dans les beaux jours [de la jeunesse :
Un bien perdu ne se retrouve [plus.

MUSICIEN

Pupilla che vaga
Mill' alme incatena
Fà dolce la piaga,
Felice la pena.

Un bel œil
Enchaîne mille cœurs ;
Sa blessure est douce,
Le mal qu'il fait [est un bonheur.

MUSICIENNE

Ma poiche frigida
Langue l'età,
Più l'alma rigida
Fiamme non ha.

Mais quand languit
L'âge glacé,
L'âme engourdie
N'a plus de feu.

TOUS DEUX

Sù cantiamo, etc.

Chantons, *etc.*

Après le dialogue italien, les Scaramouches et Trivelins dansent une réjouissance.

CINQUIÈME ENTRÉE

FRANÇAIS

PREMIER MENUET

DEUX MUSICIENS POITEVINS

dansent et chantent les paroles qui suivent

Ah ! qu'il fait beau dans ces bocages !
Ah ! que le Ciel donne un beau jour !

AUTRE MUSICIEN

Le rossignol, sous ces tendres feuillages,
Chante aux échos son doux retour :

Ce beau séjour,
Ces doux ramages,
Ce beau séjour
Nous invite à l'amour.

SECOND MENUET

TOUS DEUX *ensemble*

Vois, ma Climène,
Vois sous ce chêne
S'entre-baiser ces oiseaux amoureux ;
Ils n'ont rien dans leurs vœux
Qui les gêne ;
De leurs doux feux
Leur âme est pleine.
Qu'ils sont heureux !
Nous pouvons tous deux,
Si tu le veux,
Être comme eux.

Six autres Français viennent après, vêtus galamment à la poitevine, trois en hommes et trois en femmes, accompagnés de huit flûtes et de hautbois, et dansent les menuets.

SIXIÈME ENTRÉE

Tout cela finit par le mélange des trois nations, et les applaudissements en danse et en musique de toute l'assistance, qui chante les deux vers qui suivent :

Quels spectacles charmants, quels plaisirs goûtons-nous !
Les Dieux mêmes, les Dieux n'en ont point de plus doux.

tout le monde dans
ensemble

FAIRE LE POINT ✻ ACTE V

Caractères

1. M. Jourdain a atteint l'un de ses buts : devenir une personne de qualité. Est-il parfaitement comblé ou désire-t-il quelque chose de plus ?

2. Quel est le nouvel obstacle qui devrait le faire renoncer ? Quelle est la réplique montrant pourtant qu'il espère encore ?

L'art du théâtre

3. Les deux intrigues sont dénouées, et, suivant la tradition de la comédie, on assiste à des mariages. Celui de Dorante et de Dorimène est-il aussi désiré par le public que celui de Cléonte et de Lucile ? Pour quelles raisons ?

4. La pièce se termine de façon heureuse pour tous les personnages, et M. Jourdain n'est pas puni de son obsession par un brutal retour à la réalité. Pouvez-vous citer une pièce de Molière où le héros est châtié pour son vice, et une autre où il ne l'est pas ?

5. Tout finit bien aussi pour Dorante : le fourbe a trahi celui qu'il appelle son ami, puisqu'il obtient la main de Dorimène. Cela vous paraît-il normal ou inattendu, quand on sait que la comédie prétend améliorer l'homme en lui montrant que ses vices sont toujours punis ?

6. La pièce s'achève par le long *Ballet des nations* dans lequel Molière fait intervenir des personnages de conditions sociales différentes. En quoi cela fait-il écho au thème de la pièce ?

7. Les personnages qui y prennent part sont aussi de nationalités différentes. Que peut signifier, selon vous, cette ouverture, par rapport au défaut de M. Jourdain, le snobisme ?

POINT FINAL ?

L'art du théâtre

1. Alors que les premières scènes de la pièce sont assez vraisemblables, tout ce qui concerne les turqueries imaginées par Covielle ressemble à une immense farce, comme si Molière cherchait moins à corriger l'homme qu'à le faire rire avec indulgence de ses défauts. Caractérisez la tonalité de chaque acte et montrez qu'il s'opère une évolution au cours de la pièce.

2. Le *Ballet des nations*, qui achève le spectacle dans la féerie et l'ivresse générale, traduit de façon symbolique la force et la victoire du rêve sur une réalité parfois un peu terne. Comment Molière y associe-t-il la fête et l'amour ? Quel rapport cela a-t-il avec les thèmes de la pièce ?

3. Quels points communs voyez-vous entre ce ballet et les intermèdes successifs de la pièce ? Qu'apporte-t-il de plus ?

4. Comparez ce ballet final avec celui du *Malade imaginaire*. Qu'ont-ils de commun par rapport à l'idée fixe des héros ?

5. *Le Bourgeois gentilhomme* illustre le thème de l'être et du paraître. Montrez que le déguisement est partout dans la pièce. Quels personnages concerne-t-il ? Quelles formes revêt-il ? (Pensez aussi à tout ce qui est dissimulation, mensonge et tromperies.)

Caractères

6. Nous avons déjà remarqué que M. Jourdain avait des côtés sympathiques, dans sa libéralité (il ne regarde jamais à la dépense) ou dans son enthousiasme à s'instruire. Bien plus, il apparaît finalement comme un personnage qui crée la fête et la fantaisie sur son chemin : c'est lui qui donne vie à sa maison, qui suscite la musique et la danse, la mascarade et la bonne humeur, au point qu'il paraît peut-être plus séduisant que d'autres personnages. En quoi peut-on dire qu'il vaut mieux que ses maîtres des deux premiers actes ?

7. Montrez aussi qu'on peut voir en Mme Jourdain et en Nicole un bon sens parfois bien terre à terre, qui tend à éteindre la fantaisie du héros.

8. Citez les répliques indiquant que, au terme de la pièce, M. Jourdain n'est pas guéri de son obsession. Pensez-vous qu'il puisse être brutalement détrompé et retomber dans la réalité, ou qu'il soit trop enfoncé dans son rêve pour pouvoir jamais en sortir ? Justifiez votre réponse.

L'UNIVERS DE L'ŒUVRE

❧

Dossier documentaire et pédagogique

Le texte et ses images

Le rêve et la réalité (p. 9)

Alors que M. Jourdain ne pense qu'à imiter les *« gens de qualité »*, en prenant des leçons, la servante Nicole se plaint des maîtres *« qui vont chercher de la boue dans tous les quartiers de la ville, pour l'apporter ici »* (III, 3).

1. Pourquoi, dans cette mise en scène (photo 1), la servante est-elle en retrait de son maître et légèrement dans l'ombre, alors que lui est dans la lumière ?

2. D'après l'expression de son visage, M. Jourdain est-il sensible aux reproches de sa servante ? À quoi semble-t-il penser ?

Le bourgeois et les gentilshommes (p. 10-11)

« Vous êtes fou, mon mari, avec toutes vos fantaisies, et cela vous est venu depuis que vous vous mêlez de hanter la noblesse », lance Mme Jourdain à son mari (III, 3).

3. Le tableau de Hieronymus Janssens correspond-il, selon vous, à l'idéal de raffinement qui obsède M. Jourdain ? Relevez-en les détails qui rappellent les efforts faits par le bourgeois pour ressembler à ses modèles.

4. À quoi tient la différence entre la majesté de Louis XIV (tableau 3) et le ridicule des bourgeois qui tentent de l'imiter (photos 4, 5, 6) ? Quelle est, selon vous, la photo la plus drôle et pourquoi ? (Étudiez aussi tout ce qui entoure le personnage.)

L'élève et ses maîtres (p. 12-13)

M. Jourdain, qui désire ardemment *« avoir de l'esprit, et savoir raisonner des choses parmi les honnêtes gens »* (III, 3), prend des leçons de danse, d'escrime et de philosophie.

5. Sur la photo 7, à quel acteur comique moderne font penser les moustaches ? Quelle parenté voyez-vous entre ces deux personnages ?

6. Qu'exprime, sur la photo 8, la mimique du bourgeois ? Quelle réplique prononce-t-il selon vous (☞ II, 4, p. 48) ? Pourquoi ces gros volumes sont-ils bien visibles à ses pieds ?

7. Sur la photo 9, comment interprétez-vous l'expression du maître de philosophie ?

Fêtes et intermèdes (p. 14-15)

M. Jourdain, qui veut oublier ses origines bourgeoises, n'est heureux que dans une atmosphère de fête.

8. Sur la photo 10, relevez les signes montrant que M. Jourdain a voulu recevoir Dorimène avec faste afin de l'impressionner. Quel aspect du caractère de M. Jourdain la mimique de son interprète souligne-t-elle ?

9. En cherchant le mot *chimère* dans un dictionnaire, dites ce que signifie, sur la photo 11, la présence de ces grands animaux chevauchés par des hommes.

10. Pourquoi la coiffure de M. Jourdain sur la photo 12 est-elle comique ? À quoi correspond la danseuse voilée, dans l'idée qu'on se fait de l'Orient en France ?

L'apothéose (p. 16)

À la fin de la pièce, alors qu'on l'a berné, M. Jourdain trouve « *tout le monde raisonnable* » et croit enfin être noble.

11. M. Jourdain est ici juché sur un énorme globe terrestre (photo 13). Que symbolise, selon vous, à ce moment de la pièce, cette nouvelle position pour M. Jourdain ? et pour le spectateur ?

Le monde du théâtre au temps du *Bourgeois gentilhomme*

Les troupes, les salles, le public

Lorsque Molière arrive à Paris, en 1658, il existe trois grandes salles : l'Hôtel de Bourgogne, qui abrite la troupe du roi, le théâtre du Marais, et celui du Petit-Bourbon, qu'occupent les acteurs italiens et que Molière partagera un temps avec eux, avant de se voir attribuer la salle du Palais-Royal. Certains de ces théâtres, aménagés dans d'anciens jeux de paume – ancêtres des courts de tennis –, sont fort incommodes pour la représentation. Les salles sont étroites et longues, l'acoustique y est déplorable, et l'éclairage sommaire : les chandelles ne permettent de distinguer nettement que le devant de la scène, ce qui oblige les acteurs à jouer devant la rampe. L'espace dans lequel ils évoluent est donc très limité. Certaines salles offrent cependant de meilleures conditions de représentation : celle du Marais, reconstruite après un incendie en 1644, jouit d'une scène de 12 m sur 13, et peut accueillir des spectacles à machines, c'est-à-dire à effets spéciaux, où l'on peut voir des mers déchaînées, des divinités volant dans les airs, des éclairs et autres prodiges. Quant à celle du Petit-Bourbon, elle est nettement plus grande que les autres, et possède une scène carrée de 15,5 m de côté.

Le public est très mêlé : nobles, bourgeois, artisans, laquais, étudiants se côtoient lors des représentations. Les spectateurs de marque, les nobles les plus riches, prennent place... sur la scène ! Ils n'hésitent pas à chercher un siège alors que la pièce est déjà commencée, et il arrive qu'on les prenne pour des acteurs. Les autres spectateurs sont fort mal installés : les plus riches et les femmes, dans des galeries latérales qui leur donnent un angle de vue très inconfortable ; les plus modestes, au parterre, c'est-à-dire devant la scène, mais debout. Ce public populaire est particulièrement bruyant et indiscipliné, et les acteurs sont constamment gênés par le bruit de fond, les quolibets, ou les bagarres. Malgré cette animation, les salles de théâtre sont considérées, à l'époque de Molière, comme des lieux fréquentables, ce qui n'était pas le cas au début du siècle.

Le statut des comédiens

Les comédiens ont, dans l'ensemble, une vie difficile. Ils sont souvent mal payés, surtout dans les troupes itinérantes qui parcourent la province. À Paris, les grandes troupes ont plus de chances d'obtenir la protection d'un grand personnage de la cour et des aides financières, parfois importantes.

L'Église, en revanche, est très hostile aux gens de théâtre, car elle considère leur profession comme immorale. Elle reproche à l'art dramatique d'encourager le spectateur à suivre ses passions (l'amour, la fierté, la vengeance), et aux comédiens de mener une vie dissolue. Ils ne sont enterrés chrétiennement que s'ils ont renoncé publiquement à leur profession avant de mourir, et certains sont même excommuniés. Molière ne sera enterré que de nuit, et dans un cimetière où se trouvaient les suicidés et les enfants morts avant le baptême.

Les spectacles de cour

Louis XIV aime la danse, les plaisirs et les spectacles. Il offre donc à sa cour, dans les châteaux de Chambord, de Versailles ou de Saint-Germain-en-Laye, des fêtes somptueuses, préparées avec magnificence. Pendant deux ou trois jours, tout doit concourir à son plaisir et à son divertissement : ballets, promenades, jeux, feux d'artifice, représentations théâtrales. Ces réjouissances sont souvent organisées autour d'un thème : pour les fêtes de 1664, intitulées *Les Plaisirs de l'Île enchantée*, pendant lesquelles est créé *Le Tartuffe*, le roi et sa cour participent à une grande mise en scène inspirée du *Roland furieux* de l'Arioste, un poète italien du XVIe siècle. Ils jouent le rôle de chevaliers retenus dans le palais de la magicienne Alcine. Louis XIV aime beaucoup se mêler aux spectacles, danser et montrer son adresse à différents jeux. Quant aux nobles, ils sont flattés de cette « honnête familiarité » avec leur roi, ainsi qu'il l'écrit lui-même.

Pour organiser ces fêtes somptueuses, destinées aussi à célébrer sa gloire, Louis XIV fait appel aux artistes les plus talentueux : Lully, puis Charpentier pour la musique, Beauchamp pour la danse, et Molière pour le théâtre. Celui-ci va inventer, puis perfectionner un nouveau genre dramatique, la comédie-ballet (☞ p. 164), spectacle qui s'accorde parfaitement avec l'atmosphère féerique des divertissements royaux, et dans lequel la musique et la danse agrémentent la comédie (☞ p. 172).

Le Bourgeois gentilhomme : divertissement royal ou comédie de mœurs ?

Le Bourgeois gentilhomme est l'une des pièces les plus distrayantes de Molière, et M. Jourdain fait rire depuis trois siècles. Mais, pour autant, Molière demeure un témoin de son temps, et cette comédie-ballet fait écho, même de façon fantaisiste, à un contexte politique et social.

Divertir le roi

La naissance d'un genre

La comédie-ballet est née, presque par hasard, à l'occasion d'un divertissement de cour : en 1661, le surintendant des finances Fouquet offre au roi une grande fête pour inaugurer son château de Vaux-le-Vicomte. Molière crée à cette occasion *Les Fâcheux*, une comédie dans laquelle toute une série de personnages importuns et bavards viennent retarder le héros qui brûle de rejoindre sa bien-aimée. On a également prévu d'ajouter au spectacle un ballet, mais les danseurs ne sont pas assez nombreux, et doivent par conséquent assumer plusieurs rôles. Pour leur permettre de changer de costume, on décide alors d'insérer les entrées de ballet entre les différentes scènes de la pièce. Lorsqu'il la publie, Molière explique, dans l'avertissement au lecteur, que tout a été fait à la hâte, et que l'on a simplement *« cousu du mieux que l'on [a pu] »* les intermèdes[1] dansés à l'intrigue de la comédie. Reste que l'expérience a séduit la cour et surtout le roi, qui fait même à Molière l'honneur de lui suggérer un nouveau personnage pour sa pièce, celui du chasseur. La scène est écrite en vingt-quatre heures, et jouée dès la représentation suivante.

Le bon plaisir du roi

À partir de 1664, le roi s'adresse à Molière chaque fois qu'il désire agrémenter une fête royale au moyen d'une pièce de théâtre. Celui-ci, encouragé par le succès des *Fâcheux*, décide de poursuivre

1 Pour plus de simplicité, on peut appeler tous ces passages chantés ou dansés des « intermèdes », même s'ils n'ont pas ce nom dans le texte de Molière.

l'expérience de la comédie-ballet. Il écrit, entre autres, *L'Amour médecin* pour les fêtes de Versailles en 1665, *George Dandin* pour *Le Grand Divertissement royal de Versailles* de 1668, *Monsieur de Pourceaugnac* et *Le Bourgeois gentilhomme* pour des fêtes données à Chambord en 1669 et 1670.

Les commandes royales interviennent parfois au dernier moment, obligeant les artistes à travailler très rapidement : *L'Amour médecin*, par exemple, est écrit, appris et représenté en cinq jours ! Molière qualifie d'ailleurs la pièce d'*« impromptu »*. Satisfaire aussi rapidement les exigences du roi est certes difficile, mais c'est aussi, et surtout, un honneur. Molière écrit, dans la dédicace des *Fâcheux* :

> *« Ceux qui sont nés en un rang élevé peuvent se proposer l'honneur de servir Votre Majesté dans les grands emplois, mais, pour moi, toute la gloire où je puis aspirer, c'est de la réjouir. [...] je crois qu'en quelque façon ce n'est pas être inutile à la France que de contribuer quelque chose*[1] *au divertissement de son roi. »*

Les dépenses occasionnées par la mise en scène des comédies-ballets sont souvent considérables : les nombreux musiciens et danseurs sont vêtus de costumes somptueux, et le décor fait parfois appel à une machinerie complexe. Ainsi, pour le dernier intermède (☞ p. 190) de *La Princesse d'Élide*, l'ingénieur italien Vigarini, spécialiste de ce type de décor, fait sortir *« de dessous le théâtre la machine d'un grand arbre chargé de seize faunes, dont les huit [jouent] de la flûte, et les autres du violon »*. Lorsque Molière monte ensuite une comédie-ballet dans son théâtre du Palais-Royal, il essaie de conserver la magnificence du spectacle de cour, allant même jusqu'à ordonner des travaux pour que le théâtre puisse recevoir le décor et la machinerie. Mais il lui faut parfois renoncer à une partie du ballet, et présenter au public parisien une pièce plus simple que le somptueux divertissement auquel a pu assister la cour. Quant aux spectacles trop onéreux, ils ne sont pas montés au Palais-Royal.

Un sujet de circonstances ?

Un Turc à Versailles

Le thème du *Bourgeois gentilhomme* est en partie fourni à Molière par l'actualité politique : depuis 1660, la France a noué des relations plus étroites avec la Turquie, et l'Orient est à la mode, grâce

1 *Contribuer quelque chose* : contribuer d'une certaine façon.

à la publication de nombreux récits de voyages. Cependant, les « turqueries » du *Bourgeois gentilhomme* prennent plus directement leur source dans un incident diplomatique précis : en novembre 1669, Louis XIV reçoit un émissaire du sultan de l'Empire ottoman, nommé Soliman Aga. Le roi déploie un faste extraordinaire pour la circonstance, et apparaît lui-même dans un habit d'or éblouissant. Mais Soliman Aga semble peu apprécier cet étalage de richesses : il déclare, dit-on, que dans son pays le cheval du sultan est plus richement paré que Louis XIV... L'anecdote est dans toutes les bouches, et le roi, sans doute froissé par l'incident, suggère à Molière de mettre en scène des Turcs dans sa prochaine comédie.

Les « turqueries » de Molière

Afin d'affiner sa caricature, Molière reçoit l'aide du chevalier d'Arvieux, qui a vécu plusieurs années en Turquie, et peut le conseiller sur *« les habillements et les manières »* du pays. Pour la scène du *« mamamouchi »*, par exemple, il s'inspire des cérémonies de derviches que lui a racontées d'Arvieux.

Cependant, Molière ne cherche pas à faire une peinture exacte des mœurs orientales. Son ambition est avant tout de faire rire : il invente une langue turque des plus fantaisistes, qui amuse par ses sonorités incongrues, suivant un procédé très ancien, déjà utilisé dans les farces du Moyen Âge. Il parodie également les proverbes orientaux, qui font souvent allusion aux éléments naturels : Cléonte, déguisé, salue ainsi Monsieur Jourdain par l'intermédiaire de Covielle :

> CLÉONTE. Ambousahim oqui boraf, Iordina salamalequi.
> COVIELLE. *C'est-à-dire : « Monsieur Jourdain, votre cœur soit toute l'année comme un rosier fleuri. » Ce sont façons de parler obligeantes de ces pays-là.* (IV, 4)

M. Jourdain, charmé, réutilisera d'ailleurs maladroitement la formule pour saluer Dorimène :

> *« Madame, je vous souhaite toute l'année votre rosier fleuri. »* (V, 3)

Une pièce à clés ?

Au XVIIe siècle, on aimait particulièrement rechercher les « clés » d'une œuvre littéraire, c'est-à-dire retrouver les individus qui avaient pu servir de modèles aux personnages. *Le Bourgeois gentilhomme* n'échappe pas à cette pratique, et bien des hypothèses ont été avancées par les contemporains pour identifier « l'original » de M. Jourdain. Grimarest, qui écrit une biographie de Molière en 1705, témoigne : *« Chaque bourgeois y croyait trouver son voisin peint au naturel. »* Le bruit courut qu'un chapelier amoureux avait servi de modèle à Molière. Trois siècles plus tard, des critiques ont remarqué des points communs entre Colbert et M. Jourdain : le ministre des Finances était fils de drapier, et amoureux d'une marquise. Quoi qu'il en soit, les modèles n'étaient sans doute pas rares dans la société du temps.

Le reflet d'une société

Bourgeois et aristocrates : vers un nouveau rapport de forces

En 1670, **la noblesse** est de loin la plus prestigieuse des classes sociales : elle affiche son ancienneté, sa tradition d'honneur chevaleresque, dicte les modes et se veut cultivée, même si elle ne l'est pas toujours.

Elle a cependant déjà beaucoup perdu de sa puissance, car les « gens de qualité » sont souvent ruinés : les gentilshommes de campagne, notamment, sont contraints à des mésalliances, c'est-à-dire des mariages avec des roturiers pour refaire leur fortune, phénomène dont Molière se fait l'écho dans *George Dandin*. Quant aux courtisans, ils dilapident leur bien dans la vie fastueuse de Versailles et les jeux d'argent. Dorante est représentatif de ces grands seigneurs sans fortune. En effet, il prétend assister au lever du roi (III, 4) et se permet d'inviter Mme Jourdain et sa fille à un divertissement royal, ce qui prouverait qu'il est un personnage important à la cour ; mais il est aussi suffisamment gêné dans ses finances pour emprunter des sommes considérables à un simple bourgeois. L'image de la noblesse dans la pièce n'est donc pas très flatteuse, puisque Dorante, qui est naturellement élégant dans ses manières et son langage, utilise la crédulité et la richesse de celui qu'il appelle son *« cher ami »* (III, 4). La situation des nobles se résume à ce paradoxe : ils représentent encore une élite sociale, au prestige incontestable, mais leur puissance décroît avec leur fortune, au profit d'une autre classe sociale, la bourgeoisie.

La bourgeoisie est la classe montante de la fin du XVIIe siècle : elle s'enrichit considérablement grâce au développement du commerce, mais aussi par l'achat de nombreux offices. Car l'État, qui a besoin de renflouer ses caisses, vend des charges qu'un bourgeois peut acheter, et qui correspondent souvent à des fonctions publiques judiciaires, financières ou municipales. Certaines de ces charges permettent à leur titulaire d'être exempté d'un impôt important, la taille, et même d'appartenir à ce que l'on appelle la noblesse de robe. Cette nouvelle catégorie sociale est profondément méprisée par l'ancienne noblesse, dite noblesse d'épée, mais Louis XIV, qui se méfie des nobles de vieille souche et de leur volonté de puissance, favorise l'ascension sociale des bourgeois : il s'assure ainsi leur reconnaissance, et peut compter sur leur appui financier.

Dans *Le Bourgeois gentilhomme*, Molière, qui oppose toujours le comportement naturel et spontané au comportement artificiel de tous ceux qui veulent paraître ce qu'ils ne sont pas, tourne en ridicule cette bourgeoisie ambitieuse à laquelle appartient M. Jourdain. Il s'attaque ici à ce snobisme particulier qu'est la volonté d'être noble, mais il s'en était déjà moqué dans *L'École des femmes* en 1662. M. Jourdain offre une illustration de ce travers : pour imiter les gens de qualité, il applique des règles dans l'apprentissage de la danse ou de la révérence. Mais comme il ne les a pas suffisamment assimilées pour le faire avec naturel et distinction, il se rend ridicule.

La culture et l'éducation

La culture et l'éducation sont deux problèmes chers à Molière, qu'il aborde notamment dans *L'École des femmes*, et dans l'une de ses dernières pièces, *Les Femmes savantes*. Dans *Le Bourgeois gentilhomme*, la culture joue un rôle essentiel, car c'est elle qui trace une frontière entre nobles et bourgeois, et c'est grâce à elle que M. Jourdain espère ressembler aux nobles.

À la fin du XVIIe siècle, près de 80 % de la population est analphabète. M. Jourdain n'est certes pas dans ce cas, lui qui sait lire, écrire et compter, comme l'exige son métier. Mais il n'a pas fréquenté le collège, où les adolescents de la noblesse et de la grande bourgeoisie apprennent le latin, l'histoire, la géographie, les sciences, et surtout la rhétorique, c'est-à-dire l'art de la parole. Ce sont ces lacunes qu'il tente de combler en engageant des maîtres, qui ont à charge de lui donner un vernis de culture, car désormais il veut *« avoir de l'esprit, et savoir raisonner des choses parmi les honnêtes gens »* (III, 3.)

Ce désir de culture, qui est une des facettes du snobisme de M. Jourdain (☞ p. 180), est bien sûr source de comique : notre apprenti gentilhomme se montre peu enthousiaste lorsqu'il s'agit d'acquérir un véritable savoir (II, 4), et sa balourdise aurait de quoi décourager les meilleurs pédagogues. Il se ridiculise notamment lorsqu'il souhaite ajouter une trompette marine au concert du maître de musique, qu'il veut faire reculer Dorimène pour exécuter la révérence que lui a enseignée le maître à danser, ou qu'il retient de travers les sentences du maître de philosophie, déclarant fièrement à sa femme :

« Tout ce qui est prose n'est point vers ; et tout ce qui n'est point vers n'est point prose. Heu, voilà ce que c'est d'étudier. » (III, 3.)

Quant aux maîtres de M. Jourdain, s'ils possèdent, pour leur part, un véritable savoir, ils n'échappent pas pour autant à la critique. Ils se présentent comme des gens raffinés et amoureux de leur art, mais le vernis craque très vite, et leur rivalité paraît au grand jour, dégénérant même en bagarre de chiffonniers. Le personnage le plus révélateur de ce décalage entre l'être et le paraître est sans doute le maître de philosophie, qui, après avoir rappelé qu'*« un homme sage est au-dessus de toutes les injures »*, et que *« la grande réponse qu'on doit faire aux outrages, c'est la modération et la patience »*, se jette à son tour sur ses dignes confrères (II, 3)...

Le Bourgeois gentilhomme reflète donc divers aspects de la société de son temps, mais toujours sur le mode de la dérision ; si Molière observe ses contemporains d'un œil critique, son but, dans ce divertissement qu'est la comédie-ballet, est avant tout de faire rire.

De la comédie à la comédie-ballet

Le Bourgeois gentilhomme ou la fantaisie du langage

Écrit en 1670, à la fin de la carrière de Molière, *Le Bourgeois gentilhomme* possède toutes les qualités dramatiques d'une grande comédie, et on y trouve notamment de nombreux jeux sur le langage.

Le plaisir des mots

Le jeu sur les mots et l'emploi de jargons amusants appartiennent à l'ancienne tradition de la farce médiévale et de la *commedia dell'arte*[1]. Pour sa part, Molière recourt fréquemment à ces techniques, dont il apprécie la force comique et l'efficacité scénique. Dans *Le Bourgeois gentilhomme*, il fait parler à Cléonte et Covielle un turc des plus fantaisistes :

CLÉONTE. Ambousahim oqui boraf, Iordina salamalequi.
COVIELLE. *C'est-à-dire : « Monsieur Jourdain, votre cœur soit toute l'année comme un rosier fleuri. »* (IV, 4.)

La traduction de Covielle, qui pastiche (☞ p. 190) les proverbes orientaux, contribue également à l'effet comique. Dans la cérémonie turque, le procédé est modifié et amplifié : les Turcs et le Mufti s'expriment, en grande partie, dans un dialecte parlé dans les ports méditerranéens, la langue franche, composée à la fois *« du français, italien, espagnol et autres langues »* (dict. de Furetière). Ces invocations cocasses sont très longues, et certains moments en sont chantés et dansés : la fantaisie du langage est ainsi relayée par des chants burlesques (notamment dans la seconde entrée de ballet) et des danses qui rythment la bastonnade infligée à M. Jourdain.

À chacun son langage : variations et contrastes

Molière a toujours cherché à faire parler ses personnages de manière naturelle, mais aussi selon leur classe sociale, leur caractère, ou leur état d'esprit. Dans *Le Bourgeois gentilhomme*, des langages

1 La *commedia dell'arte* est un théâtre populaire italien proche du genre de la farce qui se joue à Paris depuis le XVIe s.

très différents dévoilent les personnages, les trahissent parfois, et permettent bien des effets comiques. Les maîtres de M. Jourdain, par exemple, abandonnent bien vite leur propos élégant de gens du monde, lorsqu'ils se sentent insultés par un confrère, et la conversation dégénère de manière fort réjouissante pour le spectateur :

MAÎTRE DE PHILOSOPHIE. *[...] Je vous trouve tous trois bien impertinents, de parler devant moi avec cette arrogance, et de donner impudemment le nom de science à des choses que l'on ne doit pas même honorer du nom d'art, et qui ne peuvent être comprises que sous le nom de métier misérable de gladiateur, de chanteur et de baladin !*
MAÎTRE D'ARMES. *Allez, philosophe de chien.*
MAÎTRE DE MUSIQUE. *Allez, belître de pédant.*
MAÎTRE À DANSER. *Allez, cuistre fieffé.*
MAÎTRE DE PHILOSOPHIE. *Comment ? marauds que vous êtes...* (II, 3)

Ce « gracieux » entretien finit d'ailleurs par une mêlée générale, et une cascade d'injures...

On trouve également dans *Le Bourgeois gentilhomme* de plaisants contrastes entre divers niveaux de langue. C'est le cas lorsque Mme Jourdain répond de façon vive et familière aux propos de Dorante qui se veulent aimables :

DORANTE. *Je pense, Madame Jourdain, que vous avez eu bien des amants dans votre jeune âge, belle et d'agréable humeur comme vous étiez.*
MADAME JOURDAIN. *Trédame, Monsieur, est-ce que Madame Jourdain est décrépite, et la tête lui grouille-t-elle déjà ?* (III, 5.)

Les ballets de paroles

Les personnages de Molière dialoguent parfois de manière presque mécanique ; ils interviennent à tour de rôle, dans un ordre régulier, et pour dire à chaque fois la même chose ou presque. La conversation s'organise donc autour d'un schéma qui se répète de façon amusante. Voici, par exemple, un ballet de paroles entre M. Jourdain et ses maîtres :

MAÎTRE DE PHILOSOPHIE. *Infâmes ! coquins ! insolents !*
MONSIEUR JOURDAIN. *Monsieur le philosophe.*
MAÎTRE D'ARMES. *La peste l'animal !*
MONSIEUR JOURDAIN. *Messieurs.*
MAÎTRE DE PHILOSOPHIE. *Impudents !*
MONSIEUR JOURDAIN. *Monsieur le philosophe.*
MAÎTRE À DANSER. *Diantre soit de l'âne bâté !*

MONSIEUR JOURDAIN. *Messieurs.*
MAÎTRE DE PHILOSOPHIE. *Scélérats !*
MONSIEUR JOURDAIN. *Monsieur le philosophe.* (II, 3)

Dans ce ballet, le schéma plusieurs fois répété s'organise en quatre temps :
1/ Injures du maître de philosophie.
2/ *« Monsieur le philosophe. »*
3/ Injures d'un autre maître.
4/ *« Messieurs. »*

Un second ballet de paroles, légèrement différent, articule deux conversations parallèles, l'une entre Lucile et Cléonte, l'autre entre Nicole et Covielle. Dans chaque dialogue, le schéma qui se répète est le suivant : la jeune femme tente de s'expliquer / l'amoureux refuse de l'écouter. Mais Molière a eu l'idée de croiser les deux conversations, en faisant intervenir les quatre personnages tour à tour, dans un ordre rigoureux ; chaque explication de Lucile est donc doublée par une explication de Nicole, et chaque refus de Cléonte, par un refus de Covielle :

LUCILE. *Sachez que ce matin...*
CLÉONTE. *Non, vous dis-je.*
NICOLE. *Apprends que...*
COVIELLE. *Non, traîtresse.*
LUCILE. *Écoutez.*
CLÉONTE. *Point d'affaire.*
NICOLE. *Laisse-moi dire.*
COVIELLE. *Je suis sourd.*
LUCILE. *Cléonte.*
CLÉONTE. *Non.*
NICOLE. *Covielle.*
COVIELLE. *Point.* (III, 10)

La comédie-ballet et ses intermèdes

Le Bourgeois gentilhomme n'est pas seulement une comédie : c'est une comédie-ballet, qui comporte donc de nombreux passages chantés et dansés. La fin de chaque acte est ainsi ponctuée par un intermède : danse des élèves du maître à danser à la fin de l'acte I ; danse des garçons tailleurs à l'acte II ; danse des cuisiniers à l'acte III ; chants et danses des Turcs à l'acte IV ; enfin, le *Ballet des nations* à la fin de la représentation. S'ajoutent à ces intermèdes la chanson de M. Jourdain, qui permet d'introduire une note comique (I, 2), le

« dialogue en musique » présenté par le maître de musique (I, 2), les chansons à boire pendant le dîner (IV, 1) et la cérémonie turque (IV, 5). À l'origine, dans la comédie-ballet (☞ p. 164), les intermèdes n'avaient aucun lien avec l'intrigue de la pièce. Dans *Le Bourgeois gentilhomme*, au contraire, Molière a mêlé au mieux les trois arts : la musique et la danse font partie de la comédie, et sont en rapport avec l'intrigue. Il n'y a plus deux spectacles – la comédie et le ballet –, mais un seul : la comédie-ballet.

Un rôle ornemental : le Beau entre dans le genre comique

Pourtant, tous les passages dansés ne sont pas très vraisemblables. Lorsque les garçons tailleurs *« se réjouissent par une danse »* de la générosité de M. Jourdain, on sent bien qu'il s'agit d'un prétexte à danser : il n'est pas très naturel, pour un tailleur, d'exprimer ainsi sa joie, et le ballet arrive sur la scène un peu artificiellement. Quant à l'intermède qui clôt l'acte II, il est encore moins bien intégré à l'intrigue : on peut en effet se demander pourquoi des cuisiniers se mettent à danser avant de dresser une table bien garnie...

Ces quelques invraisemblances montrent que les intermèdes ont aussi un rôle ornemental : le spectateur du XVIIe siècle apprécie la danse et la musique, la beauté des costumes et des décors, et ces passages dansés sont pour lui l'occasion d'un émerveillement. La comédie, qui ne représentait que le ridicule et le grotesque, peut désormais offrir un spectacle dans lequel la beauté est présente. Molière réussit donc, en inventant la comédie-ballet, à élargir les frontières du genre comique.

Une comédie rythmée par ses intermèdes

La musique et la danse n'ont pas seulement un rôle d'ornements : la comédie est rythmée par tous ces intermèdes, qui n'interviennent pas au hasard : ils marquent souvent la fin d'un acte, donc d'un épisode précis : M. Jourdain et ses maîtres aux actes I et II ; l'arrivée de ses « amis » nobles à l'acte III ; l'épisode turc à l'acte IV.

De plus, un critique, Gérard Defaux, a remarqué que la musique et la danse accompagnent le mouvement de l'intrigue : au premier acte, la scène est peu à peu envahie par des musiciens ou des danseurs : un élève musicien chante en solo, puis arrive un trio, et enfin quatre danseurs. Ensuite, au fil de la pièce, cette progression continue : on voit danser quatre tailleurs, puis six cuisiniers, et la cérémonie turque met en scène une quinzaine d'artistes ! Or, les personnages de la comédie sont, eux aussi, de plus en plus nombreux sur la scène : les maîtres de M. Jourdain sont deux, puis trois, puis quatre, avant que n'arrive le tailleur et ses quatre apprentis. Ainsi, la comédie et les intermèdes suivent le même mouvement de gradation ; la pièce devient plus spectaculaire, à mesure que M. Jourdain devient plus extravagant...

Un monde tourbillonnant

La joyeuse extravagance de M. Jourdain

Le Bourgeois gentilhomme est une comédie tourbillonnante, animée par la folie de M. Jourdain, un homme sans mesure qui ne possède pas ce *« bon goût »* qu'aimerait trouver en lui le maître à danser. Mais cet excès permet à notre extravagant de créer autour de lui un univers quasi féerique, où ses rêves les plus fous deviennent réalité ; dans sa naïveté, M. Jourdain croit aux flatteries de ses différents maîtres, et il s'imagine alors être un homme de goût qui sait apprécier les arts, s'habiller avec élégance, manier admirablement l'épée... En un mot, il est gentilhomme. On a donc affaire à un personnage heureux dans son ignorance de la réalité. De plus, en tant que héros (☞ p. 190), il est très souvent en scène, et il a le pouvoir de donner le ton, de créer l'atmosphère générale de fête qui règne dans cette comédie. La folie de ce personnage engendre la bonne humeur, et la pièce demeure une œuvre résolument comique, sans amertume ni gravité.

Personnages sympathiques, personnages antipathiques

Dans une comédie, il existe généralement deux groupes de personnages : celui des ridicules antipathiques, et celui des raisonnables sympathiques ; mais, dans *Le Bourgeois gentilhomme*, ce schéma est assoupli.

M. Jourdain est ridicule, mais pas antipathique. Face à lui, au contraire, Dorante n'est pas ridicule, mais nettement antipathique, puisqu'il profite sans scrupules de la naïveté de son « ami » pour lui extorquer son argent. Quant aux différents maîtres, ils sont plus raisonnables que M. Jourdain, mais cette raison n'est guère honnête, puisqu'ils usent également de flatterie et d'hypocrisie.

Restent certains personnages, pleins de bon sens, qui ne profitent pas de la folie de M. Jourdain, et tentent de le ramener à la raison : Mme Jourdain, par exemple, fait preuve de bon sens, puisqu'elle voit clair dans le jeu de Dorante et veut aider sa fille à épouser Cléonte. Mais c'est aussi une femme sans fantaisie, terre à terre, et peu distinguée : son langage est familier, sinon populaire. En somme, elle n'est pas non plus un personnage sans défauts.

Hormis le couple d'amoureux, dont l'importance est secondaire dans la pièce, on ne rencontre donc aucun personnage qui soit un modèle de raison, d'honnêteté et de raffinement : M. Jourdain est sympathique mais grotesque ; les autres sont lucides, mais quelque peu « rabat-joie » ou profiteurs. Molière, dans les dernières années de sa vie, ne se fait plus beaucoup d'illusions sur la nature humaine, et ne crée plus guère de personnages tout d'une pièce, bons ou mauvais : ils sont un mélange imparfait de qualités et de défauts, comme les hommes dont ils sont le reflet. Ils peuvent même apparaître sous des jours très différents au cours de la pièce : Dorante, hypocrite et malhonnête avec M. Jourdain, se montre en revanche coopératif et bienveillant lorsqu'il s'agit d'aider Cléonte et Lucile à se marier, bien qu'il n'ait, cette fois, rien à gagner. L'univers du *Bourgeois gentilhomme* montre que le schéma de la comédie classique s'est sensiblement nuancé.

Le dénouement, triomphe de la fantaisie

Le dénouement d'une comédie marque, d'une manière générale, un retour à l'ordre : les amoureux contrariés peuvent enfin se marier, et le personnage principal, à l'origine de tous les ennuis, est bien souvent puni pour son défaut majeur. Cependant, Molière invente parfois des dénouements plus originaux, comme dans *Le Bourgeois gentilhomme* : bien sûr, tout s'arrange à la fin de la pièce, qui s'achève même par deux mariages, mais M. Jourdain n'a en rien été puni, encore moins guéri, de sa folie des grandeurs nobiliaires... Bien au contraire, c'est lui qui a amené tout son entourage à se plier à sa fantaisie, au moins le temps d'un dénouement. Et c'est ainsi que l'on voit toute la maisonnée jouer la comédie de la noblesse turque, c'est-à-dire entrer dans le monde merveilleux et loufoque du héros. M. Jourdain, berné mais heureux, trouve enfin *« tout le monde raisonnable »* ! Molière a renoncé au dénouement moral, qui ramène brutalement un fou à la réalité ; il semble avoir opté pour une nouvelle forme de sagesse, qui constate que le monde est imparfait, mais qui ne cherche pas à corriger l'incorrigible. Autant prendre la folie du bon côté, c'est-à-dire en riant.

La structure du *Bourgeois gentilhomme*

Acte	Scènes	M. Jourdain	Mme Jourdain	Lucile	Nicole	Cléonte	Covielle	Dorante	Dorimène	Maître de musique	Maître à danser	Maître d'armes	Maître de philosophie	Maître tailleur	SUJET DE LA SCÈNE
ACTE I	1									■	■				Deux maîtres préparent le spectacle commandé par M. Jourdain.
ACTE I	2	■								■	■				Ébauche du spectacle par trois élèves du maître de musique.
Premier intermède : le maître à danser et quatre élèves.															Les danseurs présentent à leur tour leur travail.
ACTE II	1	■								■	■				L'apprentissage de la révérence.
ACTE II	2	■								■	■	■			La leçon d'escrime. La bataille des maîtres.
ACTE II	3	■								■	■	■	■		La dispute s'envenime.
ACTE II	4	■											■		La leçon de phonétique. Le billet galant.
ACTE II	5	■												■	M. Jourdain essaie son bel habit.
Second intermède : quatre garçons tailleurs.															Les garçons tailleurs se réjouissent des pourboires de M. Jourdain.
ACTE III	1	■													M. Jourdain s'apprête à sortir.
ACTE III	2	■			■										Fou rire de Nicole à sa vue.
ACTE III	3	■	■		■										Mme Jourdain blâme son mari.
ACTE III	4	■	■		■			■							Dorante fait un nouvel emprunt à M. Jourdain
ACTE III	5		■		■			■							Tension entre Dorante et Mme Jourdain.
ACTE III	6	■	■		■			■							La « belle marquise » a accepté de venir dîner chez M. Jourdain.
ACTE III	7		■		■										Mme Jourdain envoie chercher Cléonte, qu'elle veut pour gendre.
ACTE III	8				■	■	■								Nicole est fort mal reçue par Cléonte et Covielle.
ACTE III	9					■	■								Cléonte et Covielle se plaignent de leur maîtresse respective.
ACTE III	10			■	■	■	■								Ballet de paroles des 4 jeunes gens.
ACTE III	11		■	■	■	■	■								Cléonte s'apprête à demander la main de Lucile.

	Scènes	M. Jourdain	Mme Jourdain	Lucile	Nicole	Cléonte	Covielle	Dorante	Dorimène	Maître de musique	Maître à danser	Maître d'armes	Maître de philosophie	Maître tailleur	SUJET DE LA SCÈNE
		PERSONNAGES													
ACTE III (suite)	12	■	■	■	■	■	■								M. Jourdain refuse le mariage, car Cléonte n'est pas gentilhomme.
	13					■	■								Covielle imagine un stratagème.
	14	■													Arrivée de Dorante et Dorimène pour le dîner.
	15							■	■						Dorante demande sa main à Dorimène.
	16	■						■	■						Civilités de M. Jourdain.
Troisième intermède : six cuisiniers.															Danse des six cuisiniers, qui dressent ensuite la table.
ACTE IV	1	■						■	■						Dîner et spectacle en l'honneur de Dorimène.
	2	■	■					■	■						Mme Jourdain fait irruption.
	3	■					■								Visite de Covielle déguisé en Turc.
	4	■				■	■								Visite de Cléonte, déguisé en « fils du Grand Turc ».
	5						■	■							Dorante est mis dans la confidence de la supercherie.
Quatrième intermède : le Mufti, quatre dervis, six Turcs dansants...															M. Jourdain devient « Grand Mamamouchi ».
ACTE V	1	■	■												Mme Jourdain se demande si son mari a perdu l'esprit.
	2							■	■						Dorimène dit oui à Dorante.
	3	■						■	■						Dorante félicite M. Jourdain pour son anoblissement.
	4	■	■		■	■	■	■	■						Voici le « fils du Grand Turc ».
	5	■	■	■	■	■	■	■	■						Lucile reconnaît Cléonte, et accepte de l'épouser.
	6	■	■	■	■	■	■	■	■	■	■	■	■	■	Mme Jourdain reconnaît Cléonte. Tous les mariages ont lieu.
BALLET DES NATIONS															

L'argent

L'argent est à l'origine du pouvoir de M. Jourdain, pouvoir qu'il utilise avec la naïveté et la démesure qui le caractérisent. Dans son projet amoureux, il le met au service de sa passion pour Dorimène, offrant à celle-ci diamant, souper, spectacle, sans se douter que c'est Dorante qui en tirera profit. Dans son désir d'ascension sociale, l'argent est un moyen de réaliser son rêve : ressembler à un noble. M. Jourdain multiplie les dépenses en habits et en leçons de tous ordres, pensant innocemment qu'il peut acheter la distinction et la culture.

L'argent est également la seule chose qui retienne de nombreux personnages auprès du héros. Les artistes qu'il a engagés trouvent un intérêt purement financier à la situation ; comme le souligne le maître de musique dans la scène d'exposition : *« son argent redresse les jugements de son esprit »*. S'il n'y a rien de malhonnête en cela, il en va différemment des rapports entre Dorante et M. Jourdain : l'argent crée entre eux les liens les plus malsains, puisqu'il fait du bon bourgeois la dupe d'un personnage peu scrupuleux, comme le montre la scène 4 de l'acte III, consacrée aux comptes des deux « amis ».

Cependant, malgré cet entourage intéressé, le personnage de M. Jourdain reste sympathique, car il se montre au contraire libéral et n'aime pas l'argent pour lui-même ; il n'est pas « près de ses sous » comme Argan dans *Le Malade imaginaire*, ou à plus forte raison comme Harpagon dans *L'Avare*.

La flatterie

Molière a souvent abordé, au cours de sa carrière, le thème de l'hypocrisie, s'attaquant même en 1664, avec *Le Tartuffe*, à l'hypocrisie religieuse (☞ p. 7).

Dans *Le Bourgeois gentilhomme*, les hypocrites, particulièrement nombreux, sont plus précisément des flatteurs : le maître de musique et le maître à danser se répandent en compliments sur le nouvel habit de M. Jourdain, puis sur sa façon de chanter et ses goûts musicaux (I, 2) ; Dorante, pour sa part, fait mine de trouver son élégance digne de la cour (*« Vous avez tout à fait bon air avec cet habit, et nous n'avons point de jeunes gens à la cour qui soient mieux faits que vous* », III, 4) ; Cléonte et Covielle, enfin, flattent M. Jourdain en le prétendant noble, puis en le faisant « *Mamamouchi* ».

Tous sont, bien sûr, guidés par leur intérêt, et flattent la manie de M. Jourdain pour en tirer profit, mais leur attitude est plus ou moins condamnable selon les cas. Ainsi, Cléonte et Covielle ne cherchent pas à exploiter le bourgeois : leur stratagème est le seul moyen de l'empêcher de nuire à toute sa famille ; l'intention est bonne, et l'atmosphère reste joyeuse. Quant aux deux maîtres (I, 2), ils tâchent simplement de rester dans les bonnes grâces de leur « employeur », et leurs flatteries produisent avant tout un effet comique. En revanche, Dorante trahit à proprement parler celui qu'il appelle son « *cher ami* », et, lorsqu'il paraît, l'atmosphère de la comédie est beaucoup plus tendue.

La galanterie et ses langages

Le thème de la séduction revient fréquemment dans *Le Bourgeois gentilhomme*, car de nombreux personnages de la pièce cherchent à séduire, ou sont eux-mêmes séduits. C'est tout d'abord, naturellement, le cas des jeunes amoureux Lucile et Cléonte, personnages traditionnels de la comédie. C'est ensuite le couple des valets, Nicole et Covielle, qui leur fait écho. C'est enfin celui des « *gens de qualité* », formé par Dorante et Dorimène, qui complète le tableau. Quant à M. Jourdain, il ne rêve qu'au moyen de séduire Dorimène.

Tous ces amants emploient le langage de la galanterie, mais chacun à sa manière. Si le dialogue amoureux de Dorante et de Dorimène est presque inexistant, celui de Lucile et de Cléonte permet les effets comiques d'une scène de dépit amoureux ; celui de Nicole et Covielle est une imitation burlesque (☞ p. 190) du discours des maîtres. M. Jourdain, enfin, manie fort mal le langage de la galanterie, et s'empêtre dans le compliment qu'il veut faire à Dorimène (III, 16). Là encore, il cherche à imiter un usage qu'il ne maîtrise pas.

Molière raille également le caractère figé de ce langage, qui fait toujours appel aux mêmes images : la froideur et la cruauté de la dame, le feu dévorant le cœur de l'amoureux, etc. La réaction du maître de philosophie, lorsque M. Jourdain lui demande de l'aide pour écrire un billet galant, en témoigne :

> M. JOURDAIN. [...] *Je voudrais que cela fût mis d'une manière galante, que cela fût tourné gentiment.*
>
> MAÎTRE DE PHILOSOPHIE. *Mettre que les feux de ses yeux réduisent votre cœur en cendres ; que vous souffrez nuit et jour pour elle les violences d'un...* (II, 4)

Du snobisme au grotesque

M. Jourdain est ce que l'on appelle aujourd'hui un *snob*, c'est-à-dire « *une personne qui cherche à être assimilée aux gens distingués de la haute société, en faisant étalage des manières, des goûts, des modes qu'elle lui emprunte sans discernement* » (dict. Robert).

Les manifestations du snobisme de M. Jourdain sont nombreuses, et correspondent parfaitement à cette définition. Il cherche ainsi à imiter les manières distinguées des nobles et même leur mode de vie dans son ensemble : d'une part, il engage des maîtres chargés de lui enseigner la musique, la danse, le maniement de l'épée et les rudiments de la culture, en un mot, tout ce que doit savoir un gentilhomme ; d'autre part, il fait siennes certaines habitudes de l'aristocratie, comme le repas agrémenté d'un concert qu'il offre à Dorimène. Enfin, M. Jourdain porte une extrême attention à son habillement, qui doit comporter tous les signes extérieurs de la noblesse. Il adopte donc l'indienne, les bas de soie, la rhingrave, le pourpoint, et les fleurs « *en enbas* » (II, 5) : ce sont là les dernières modes lancées par la cour, et, en principe, réservées aux nobles et non aux bourgeois, qui portent traditionnellement un costume sombre, très simple.

Le snobisme de M. Jourdain est bien sûr à la source de son ridicule et du comique de la pièce, car c'est un snobisme maladroit. Notre héros ne possède aucun sens de la mesure, et imite tous les usages nobles avec excès : il dépense sans compter, croyant pouvoir acheter un raffinement qui est le fruit de toute une éducation, et, surtout, il est obnubilé par son désir de noblesse, qui devient une obsession. L'expression « *gens de qualité* » revient dans sa bouche comme un leitmotiv comique :

« *Je me fais habiller aujourd'hui comme les gens de qualité.* » (I, 2)
« *Est-ce que les gens de qualité apprennent aussi la musique ?* » (I, 2)
« *Est-ce que les gens de qualité en ont ?* » *[des concerts]* (II, 1)
« *Voilà ce que c'est de se mettre en personne de qualité.* » (II, 5)
« *Les personnes de qualité portent les fleurs en enbas ?* » (II, 5).

De plus, il apparaît comme extrêmement maladroit dans toutes ses tentatives : il se montre un élève peu doué, sa tenue provoque le fou rire de Nicole (III, 2), et le compliment qu'il adresse à Dorimène est pour le moins confus (III, 16). Il est en outre exigeant et impatient, refusant d'apprendre la logique parce qu'elle « *ne [lui] revient pas* », la morale, parce qu'il veut « *[se] mettre en colère tout [son] soûl* », et la physique, parce qu'il y a « *trop de tintamarre là-dedans, trop de brouillamini* » (II, 4)... Le décalage entre son désir de raffinement et sa balourdise fait donc de son snobisme une source constante de comique.

Le travestissement et le jeu

On se déguise beaucoup dans *Le Bourgeois gentilhomme*, comme dans la plupart des pièces de la tradition comique, y compris les farces du Moyen Âge. M. Jourdain le fait tout au long de la pièce, sans s'en rendre compte : lorsqu'il décide de porter des bas de soie et des fleurs *« en enbas »*, ou même lorsqu'il apprend la musique, la danse et l'escrime, il se déguise en noble. Le tout avec beaucoup de maladresse et bien peu de goût, ce qui provoque le fou rire de Nicole (III, 2) et les moqueries de sa femme, quand il revêt sa tenue d'escrimeur :

> *« Ah, ah ! voici une nouvelle histoire. Qu'est-ce que c'est donc, mon mari, que cet équipage-là ? Vous moquez-vous du monde, de vous être fait enharnacher de la sorte ? et avez-vous envie qu'on se raille partout de vous ? »* (III, 3.)

Même résultat quand il paraît dans son habit de Mamamouchi, que son épouse prend pour un déguisement de carnaval :

> *« Ah ! mon Dieu ! miséricorde ! Qu'est-ce que c'est donc que cela ? Quelle figure ! Est-ce un momon que vous allez porter*[1] *; et est-il temps d'aller en masque ? Parlez donc, qu'est-ce que c'est que ceci ? Qui vous a fagoté comme cela ? »* (V, 1.)

Les autres personnages se travestissent également : dans un premier temps, Covielle et Cléonte, dans l'épisode de la « turquerie » pour abuser M. Jourdain. Puis, dans un second temps, le jeu s'élargit et toute la famille y prend le plus grand plaisir, ce qui confère d'ailleurs à la fin de la pièce une atmosphère de fête : on peut ainsi parler de « théâtre dans le théâtre », car une petite comédie (la mascarade) est donnée au sein de la comédie (l'intrigue de la pièce).

1 Durant le carnaval, des gens masqués allaient de maison en maison proposer une partie de dés sans revanche, le *momon*. De là l'expression *porter le momon*.

D'autres textes...

LA BRUYÈRE • *LES CARACTÈRES* • 1688

Une autre satire de la société

Dans Les Caractères, *La Bruyère décrit la société de son temps, le plus souvent sur le ton de l'ironie mordante. Quelques personnages témoignent, comme M. Jourdain, des prétentions nobiliaires des bourgeois.*

On ne peut mieux user de sa fortune que fait Périandre : elle lui donne du rang, du crédit, de l'autorité ; déjà on ne le prie plus d'accorder son amitié, on implore sa protection. Il a commencé par dire de soi-même : un homme de ma sorte ; il passe à dire[1] : un homme de ma qualité[2] ; il se donne pour tel[3], et il n'y a personne de ceux à qui il prête de l'argent, ou qu'il reçoit à sa table, qui est délicate, qui veuille s'y opposer. Sa demeure est superbe : un dorique[4] règne dans tous ses dehors[5] ; ce n'est pas une porte, c'est un portique[6] : est-ce la maison d'un particulier ? est-ce un temple ? le peuple s'y trompe.

LA BRUYÈRE, *Les Caractères,* « Des biens de fortune », 21, 1688.

QUESTIONS

1. En quoi Périandre ressemble-t-il à M. Jourdain ?
2. À quels signes voit-on que ce portrait est ironique ?

1 *Il passe à dire* : il en arrive à dire.
2 ☞ p. 189.
3 *Il se donne pour tel* : il se fait passer pour cela.
4 *Un dorique* : style d'architecture qui vient de l'Antiquité, et qui évoque la grandeur et la noblesse.
5 *Dans tous ses dehors* : à l'extérieur, de façon bien visible.
6 *Portique* : galerie ouverte soutenue par des colonnes, qui se trouve à l'entrée d'un temple ou d'une église.

MARIVAUX • *LE PAYSAN PARVENU* • 1735

Autre roturier, autre comportement

Le Paysan parvenu, *roman de Marivaux, retrace la vie et l'ascension sociale d'un simple paysan qui accède à tous les honneurs, sans jamais renier ses origines sociales. Cette œuvre se présente comme des Mémoires, et commence par ces mots :*

Le titre que je donne à mes Mémoires annonce ma naissance[1] ; je ne l'ai jamais dissimulée à qui me l'a demandée, et il me semble qu'en tout temps Dieu ait récompensé ma franchise là-dessus ; car je n'ai pas remarqué qu'en aucune occasion on ait eu moins d'égard et moins d'estime pour moi.

J'ai pourtant vu nombre de sots qui n'avaient et ne connaissaient point d'autre mérite dans le monde, que celui d'être nés nobles, ou dans un rang distingué. Je les entendais mépriser beaucoup de gens qui valaient mieux qu'eux, et cela seulement parce qu'ils n'étaient pas gentilshommes ; mais c'est que ces gens qu'ils méprisaient, respectables d'ailleurs par mille bonnes qualités, avaient la faiblesse de rougir eux-mêmes de leur naissance, de la cacher, et de tâcher de s'en donner une qui embrouillât[2] la véritable, et qui les mît à couvert du dédain du monde[3].

Or, cet artifice-là[4] ne réussit presque jamais ; on a beau déguiser la vérité là-dessus, elle se venge tôt ou tard des mensonges dont on a voulu la couvrir ; et l'on est toujours trahi par une infinité d'événements qu'on ne saurait ni parer, ni prévoir ; jamais je ne vis, en pareille matière, de vanité qui fît une bonne fin[5].

1 *Ma naissance* : mon origine sociale.
2 *Qui embrouillât* : qui dissimulât.
3 *À couvert du dédain du monde* : à l'abri du mépris de la société.
4 *Artifice* : tromperie.
5 *Faire une bonne fin* : réussir, être couronné de succès.

C'est une erreur, au reste, de penser qu'une obscure naissance vous avilisse, quand c'est vous-même qui l'avouez, et que c'est de vous qu'on la sait. La malignité[1] des hommes vous laisse là ; vous la frustrez de ses droits ; elle ne voulait que vous humilier, et vous faites sa charge[2] ; vous vous humiliez vous-même, elle ne sait plus que dire.

MARIVAUX, *Le Paysan parvenu*, 1735.

QUESTIONS

1. Quels sont les arguments avancés par le narrateur pour prouver qu'il vaut mieux ne pas cacher ses origines sociales ?

2. Selon le narrateur, lorsqu'on ment sur ses origines, *« on est toujours trahi par une infinité d'événements qu'on ne saurait ni parer, ni prévoir ».* À quels moments de la pièce ce genre de mésaventure arrive-t-il à M. Jourdain ?

3. Quel est le personnage du *Bourgeois gentilhomme* qui adopte l'attitude recommandée par le narrateur du *Paysan parvenu* ? Est-il, lui aussi, récompensé de sa franchise ? Molière vous semble-t-il confiant en l'intelligence et la bonté des hommes ?

1 *Malignité* : méchanceté.
2 *Vous faites sa charge* : vous le faites à sa place.

DIDEROT • *LE NEVEU DE RAMEAU* • 1762-1780

Un autre maître de musique

Rameau, le neveu du musicien Jean-Philippe Rameau, explique à son interlocuteur comment, sans connaissances musicales, il a donné des leçons de musique.

J'arrivais. Je me jetais dans une chaise : « Que le temps est mauvais ! que le pavé[1] est fatigant ! » Je bavardais quelques nouvelles [...]. On m'écoutait. On riait. On s'écriait, « il est toujours charmant ». Cependant, le livre de Mademoiselle s'était enfin retrouvé sous un fauteuil où il avait été traîné, mâchonné, déchiré, par un jeune doguin[2] ou un petit chat. Elle se mettait à son clavecin. D'abord elle y faisait du bruit, toute seule. Ensuite, je m'approchais, après avoir fait à la mère un signe d'approbation. La mère : « Cela ne va pas mal ; on n'aurait qu'à vouloir ; mais on ne veut pas. On aime mieux perdre son temps à jaser, à chiffonner, à courir, à je ne sais quoi. Vous n'êtes pas sitôt sorti que le livre est fermé, pour ne le rouvrir qu'à votre retour. Aussi vous ne la grondez jamais... »

Cependant comme il fallait faire quelque chose, je lui prenais les mains que je lui plaçais autrement. Je me dépitais. Je criais « Sol, sol, sol ; Mademoiselle, c'est un sol ». La mère : « Mademoiselle, est-ce que vous n'avez point d'oreille ? Moi qui ne suis pas au clavecin, et qui ne vois pas sur votre livre, je sens qu'il faut un sol. Vous donnez une peine infinie à Monsieur. Je ne conçois pas sa patience. Vous ne retenez rien de ce qu'il vous dit. Vous n'avancez point... » Alors je rabattais un peu les coups[3], et hochant la tête, je disais, « Pardonnez-moi, Madame, pardonnez-moi. Cela pourrait aller mieux, si Mademoiselle voulait ; si elle étudiait un peu ; mais cela ne va pas mal ». La mère : « À votre place, je la tiendrais un an sur la même pièce. – Oh pour cela, elle n'en sortira pas qu'elle ne soit au-dessus de toutes les difficultés ; et cela ne sera pas si long que Madame le croit ». La mère : « Monsieur Rameau, vous la flattez ; vous êtes trop

1 *Le pavé* : ici, la marche à pied sur le pavé des rues.
2 *Doguin* : petit chien (dogue).
3 *Rabattre les coups* : adoucir, apaiser des gens qui se querellent.

bon. Voilà de sa leçon la seule chose qu'elle retiendra et qu'elle saura bien me répéter dans l'occasion ». L'heure se passait. Mon écolière me présentait le petit cachet[1], avec la grâce du bras et la révérence qu'elle avait apprise du maître à danser. Je le mettais dans ma poche, pendant que la mère disait : « Fort bien, Mademoiselle. Si Javillier[2] était là, il vous applaudirait. » Je bavardais encore un moment par bienséance[3] ; je disparaissais ensuite, et voilà ce qu'on appelait alors une leçon d'accompagnement.

DIDEROT, *Le Neveu de Rameau*, 1762-1780.

QUESTIONS

1. Comment Rameau s'y prend-il pour que la leçon se passe sans qu'il ait à se fatiguer ?

2. À quoi voit-on que la jeune fille n'est guère intéressée par la musique ? Pourquoi, à votre avis, prend-elle des leçons ?

3. D'où vient le comique du passage ?

IONESCO • *LA LEÇON* • 1951

Une autre leçon de phonétique

Un professeur, pour le moins étrange, enseigne à une jeune élève ce qu'il prétend être les rudiments de l'étude des langues.

La prononciation à elle seule vaut tout un langage. Une mauvaise prononciation peut vous jouer des tours. À ce propos, permettez-moi, entre parenthèses, de vous faire part d'un souvenir personnel. *(Légère détente, le Professeur se laisse aller un instant à ses souvenirs ; sa figure s'attendrit ; il se reprendra très vite.)* J'étais tout jeune, encore presque un enfant. Je faisais mon service militaire. J'avais, au régiment, un camarade, Vicomte, qui avait un défaut de prononciation assez grave : il ne pouvait

1 *Petit cachet* : petite carte portant un cachet (un sceau qu'on applique sur de la cire), ou une marque, et qui sert à tenir le compte des leçons données. « Courir le cachet » signifie donner des leçons en ville.
2 *Javillier* : maître à danser du roi.
3 *Par bienséance* : par politesse.

pas prononcer la lettre f. Au lieu de f, il disait f. Ainsi, au lieu de : fontaine, je ne boirai pas de ton eau, il disait : fontaine, je ne boirai pas de ton eau. Il prononçait fille au lieu de fille, Firmin au lieu de Firmin, fayot au lieu de fayot, fichez-moi la paix au lieu de fichez-moi la paix, fatras au lieu de fatras, fifi, fon, fafa au lieu de fifi, fon, fafa ; Philippe au lieu de Philippe ; fictoire au lieu de fictoire ; février au lieu de février ; mars-avril au lieu de mars-avril ; Gérard de Nerval[1] et non pas, comme cela est correct, Gérard de Nerval ; Mirabeau[2] au lieu de Mirabeau, etc., au lieu de etc., et ainsi de suite etc. au lieu de etc., et ainsi de suite, etc. Seulement il avait la chance de pouvoir si bien cacher son défaut, grâce à des chapeaux, que l'on ne s'en apercevait pas.

Eugène IONESCO, *La Leçon*, Gallimard, 1951.

QUESTIONS

1. Comparez ce professeur au maître de philosophie de M. Jourdain. Lequel d'entre eux vous paraît le plus ridicule ? Pourquoi ?

2. Il suffirait d'une légère modification pour que presque tout le raisonnement du professeur redevienne logique : laquelle ? Quelques-uns de ses exemples resteraient cependant absurdes : lesquels, et pourquoi ?

1 *Gérard de Nerval* : écrivain français (1808-1855).
2 *Mirabeau* : homme politique français qui joua un rôle important pendant la Révolution (1749-1791).

Lire, voir, entendre

BIBLIOGRAPHIE

René BRAY, *Molière, homme de théâtre*, Mercure de France, 1954.

Gabriel CONESA, *Le Dialogue moliéresque*, 1983, réédition SEDES 1991.

Patrick DANDREY, *Molière ou l'Esthétique du ridicule*, Klincksieck, 1992.

Gérard DEFAUX, *Molière ou les Métamorphoses du comique*, 1980, réédition Klincksieck, 1992.

Georges FORESTIER, *Molière en toutes lettres*, Bordas, 1990.

Charles MAZOUER, *Molière et ses comédies-ballets*, Klincksieck, 1993.

FILMOGRAPHIE

Le Bourgeois gentilhomme, réalisation de Jacques de Féraudy, 1922, avec Maurice de Féraudy et Andrée de Chauveron.

Le Bourgeois gentilhomme, film de Jean Meyer, 1958, avec Louis Seigner, Jean Meyer, Jacques Charon et Robert Manuel.

Le Bourgeois gentilhomme, film de Roger Coggio, 1982, avec Michel Galabru, Rosy Varte, Roger Coggio, Jean-Pierre Darras et Ludmila Mikaël.

Molière ou la Vie d'un honnête homme, film d'Ariane Mnouchkine, 1978.

DISCOGRAPHIE

– Enregistrement intégral du *Bourgeois gentilhomme*, « L'Encyclopédie sonore », Hachette, 1955.

Les mots du *Bourgeois gentilhomme*

Bourgeois : personne qui n'appartient ni à la noblesse ni au clergé, mais qui possède des biens et ne travaille pas de ses mains, comme les paysans ou les ouvriers. Mme Jourdain rappelle à son mari qu'ils descendent tous deux *« de bonne bourgeoisie »* (III, 12) ; l'expression *« bon bourgeois »* désigne, sans nuance péjorative, un homme qui vit dans une honnête aisance.

Galant : le mot a, au XVIIe s., un sens plus large qu'aujourd'hui. Il signifie « distingué, élégant, raffiné ». Dorante dit ainsi à M. Jourdain que son habit est *« tout à fait galant »* (III, 4). Le mot signifie également « poli, courtois ». De nos jours, on l'emploie dans un sens plus restreint : « courtois, empressé envers les femmes ».

Gentilhomme : « homme noble d'extraction, qui ne doit point sa noblesse à une charge ni à une lettre du prince » (dict. de Furetière). Le gentilhomme appartient à la noblesse d'épée (☞ p. 168) la plus ancienne, la plus prestigieuse, car elle remonte à plusieurs générations, parfois à plusieurs siècles ; on parle aussi de noblesse « de vieille souche ». Tous les gens de qualité, même nobles de naissance, ne portent pas ce titre ; c'est pourquoi M. Jourdain est si flatté d'entendre le garçon tailleur l'appeler *« mon gentilhomme »* (II,5).

Magnifique : une personne magnifique est, au XVIIe s., quelqu'un qui aime le faste, le luxe, et qui, pour cela, ne regarde pas à la dépense. Le mot peut donc être synonyme de « généreux ». Le maître de musique joue d'ailleurs très habilement sur les deux sens : *« une personne comme vous, qui êtes magnifique, et qui avez de l'inclination pour les belles choses »* (II, 1). Quand il qualifie une chose, *magnifique* signifie avant tout « pompeux, solennel » (on dit notamment « des paroles magnifiques ») ; mais il peut aussi signifier : « qui a coûté très cher ».

Qualité : le mot est ici employé dans l'expression *« gens de qualité »*, qui désigne les nobles de naissance. Même si M. Jourdain était anobli par le roi, il ne serait donc pas une « personne de qualité », catégorie à laquelle, en revanche, Dorante appartient. C'est bien sûr un mot très important dans la pièce, puisqu'il traduit l'obsession de M. Jourdain. *Qualité* a aussi, au XVIIe s., le sens plus général de « trait de caractère, disposition de l'esprit, bonne ou mauvaise », alors qu'il ne désigne plus aujourd'hui qu'un trait positif.

Vision : idée folle, extravagante : *« Ce nous est une douce rente, que ce Monsieur Jourdain, avec les visions de noblesse et de galanterie qu'il est allé se mettre en tête »* (I, 1).

Les termes de critique

Aparté : paroles qu'un personnage prononce à part, sans être entendu des autres (voir Mme Jourdain, III, 4).

Burlesque : procédé comique qui consiste à ne pas prendre, pour parler de quelque chose, le ton et le niveau de langue qui conviennent, et plus précisément à traiter en termes bas et populaires un sujet élevé. Ainsi, Covielle, pour parler de l'amour qu'il porte à Nicole, évoque les seaux d'eau qu'il a portés à sa place, et la broche qu'il a tournée pour elle à la cuisine (III, 9).

Champ lexical : ensemble des mots (noms, verbes, adjectifs, expressions...) se rapportant à un même thème.

Dénouement : fin de la pièce de théâtre, moment où les fils de l'intrigue se dénouent. C'est le dernier épisode de la pièce, qui peut s'étendre sur plusieurs scènes.

Didascalies : indications scéniques données par l'auteur. Elles portent sur les gestes, les déplacements des personnages, le ton de voix à adopter, etc.

Dramatique : qui a trait au théâtre. Le genre dramatique désigne le genre théâtral dans son ensemble, comédie, farce, tragédie. Le terme n'est donc pas synonyme de « triste, émouvant » (on emploie, pour exprimer ces notions, le mot « pathétique »).

Exposition : début d'une pièce de théâtre, qui permet d'informer le spectateur de tout ce qu'il doit savoir pour comprendre la suite de l'intrigue. On y apprend, en général, quels sont les principaux personnages, dans quelle situation ils se trouvent, etc.

Héros : personnage principal d'une pièce de théâtre, d'un roman ou d'un film. Dans ce sens, le héros n'a pas nécessairement toutes les qualités de force, d'intelligence et de beauté qui lui font accomplir des exploits.

Hyperbole : procédé qui consiste à exagérer les choses, pour qu'elles produisent une forte impression. Le langage galant est fondé sur l'hyperbole, comme le montre le discours de Cléonte, parlant de Lucile : *« je n'aime rien au monde qu'elle, et je n'ai qu'elle dans l'esprit ; elle fait tous mes soins, tous mes désirs, toute ma joie ; je ne parle que d'elle, je ne pense qu'à elle, je ne fais des songes que d'elle, je ne respire que par elle, mon cœur vit tout en elle »* (III, 9).

Intermède : passage chanté ou dansé, inséré entre les actes d'une comédie-ballet.

Intrigue : ensemble des situations et des événements qui s'enchaînent tout au long de la pièce.

Leitmotiv : phrase, formule, qui revient à plusieurs reprises, comme un refrain (*Leitmotiv* appartient à l'origine au vocabulaire de la musique). Dans *Le Bourgeois gentilhomme*, l'expression « gens de qualité » constitue un leitmotiv.

Pastiche : imitation du style propre à un écrivain, un peintre, un genre littéraire. Dans *Le Bourgeois gentilhomme*, Covielle pastiche les proverbes orientaux (IV, 4).

Tirade : réplique relativement longue.

Pour mieux exploiter les questionnaires

Ce tableau fournit la liste des rubriques utilisées dans les questionnaires, avec les renvois aux pages correspondantes, de façon à permettre des études d'ensemble sur tel ou tel de ces aspects (par exemple dans le cadre de la lecture suivie).

RUBRIQUES	***Pages***				
	ACTE I	**ACTE II**	**ACTE III**	**ACTE IV**	**ACTE V**
L'ART DU THÉÂTRE	24, 36	40, 43, 56, 62	73, 79, 84, 90, 96, 107, 108	114, 131	134, 138, 145, 156, 157
CARACTÈRES	24, 34, 36	40, 43, 47, 56, 61, 62	66, 73, 84, 90, 100, 107, 108	114, 117, 130, 131	134, 138, 145, 156, 157
ÉCRIRE	24, 35	61	66, 107		
GENRES	34			130, 131	
GRAMMAIRE			66, 90		
MISE EN SCÈNE	35	40, 43, 56	79, 84, 96	114, 130	134, 146
LA PHRASE				114	
LA PHRASE ET LE DIALOGUE		47	73		
SOCIÉTÉ		40	66, 79, 100, 108	117	145
STRATÉGIES	34	40, 61	79, 84, 96, 107	114, 117, 130	
STRUCTURE		47	100		
STYLE	34	40	79, 107		138
TONS	24	56, 61	66, 73, 79, 90, 96, 100, 107	117	134, 138, 145
VOCABULAIRE	24, 34	47, 61	84, 100	114, 117, 130	
VOCABULAIRE ET GRAMMAIRE		43	73		

Les photographies de cette édition
sont tirées des mises en scène suivantes :

Mise en scène de Jean Meyer, décor et costumes de Suzanne Lalique, Comédie-Française, 1951. – Mise en scène de Jean-Louis Barrault, chorégraphie de Claude Bessy, décor et costumes d'Auguste Pace, la Comédie-Française aux Tuileries, 1972. – Mise en scène de Jean-Laurent Cochet, chorégraphie de Michel Rayne, décor et costumes de Jacques Marillier, Comédie-Française, 1980. – Mise en scène de Jean-Luc Boutté, chorégraphie de François Raffinot, décor et costumes de Louis Bercut, Comédie-Française, 1986, reprise 1988. – Mise en scène de Jérôme Savary, chorégraphie de Jean Moussy, décor de Michel Lebois, costumes de Michel Dussarat, C.E.T. Lyon, théâtre du VIIIe, 1987, théâtre national de Chaillot, 1989.

Références des photographies :

p. 4 : Ph. Hubert Josse © Arch. Photeb. – *p. 9* : Ph. © Bernand. – *p. 10* : Ph. © G. Dagli Orti. – *p. 11* : *(en haut à gauche)* Ph. Hubert Josse © Arch. Photeb ; *(en haut à droite, et en bas)* 3 Ph. © Philippe Coqueux. – *p. 12* : *(en haut)* Ph. © Marc Enguerand ; *(en bas)* Ph. © Sarti/Enguerand. – *p. 13* : Ph. © Philippe Coqueux. – *p. 14* : *(en haut)* Ph. © Enguerand ; *(en bas)* Ph. © Rubinel/Enguerand. – *p. 15 et 16* : 2 Ph. © Philippe Coqueux. – *p. 30* : Ph. © Steinberger/Enguerand. – *p. 55* : 2 Ph. © Philippe Coqueux. – *p. 82* : Ph. © Steinberger/Enguerand. – *p. 112* : Ph. © Philippe Coqueux. – *p. 121* : Ph. © Philippe Coqueux. – *p. 141* : Ph. © Lipnitzki-Viollet.

Couverture : Roland Bertin (MONSIEUR JOURDAIN) dans la mise en scène de Jean-Luc Boutté, Comédie-Française, 1988. (Ph. © Philippe Coqueux.)

Conception de la maquette intérieure : Atelier Gérard Finel.

Conception et réalisation des pages 18-19 : Norbert Journo/Studio 95.

Iconographie : Nathalie L'Hopitault.

Composition, mise en pages, photogravure P.F.C., 39105 Dôle
Dépôt légal : juillet 1997 - Dépôt légal 1re édition : août 1994
Imprimerie Hérissey - 27000 Évreux – N° d'imprimeur : 77435
Achevé d'imprimer en juillet 1997